Mål 1

ÖVNINGSBOK

Anette Althén

Natur & Kultur

NATUR & KULTUR
Kundtjänst/order: Förlagsdistribution, Box 706, 176 27 Järfälla
Tel 08-453 85 00, Fax 08-453 85 20
Redaktion: Box 27 323, 102 54 Stockholm
Tel 08-453 86 00, Fax 08-453 87 90
info@nok.se
www.nok.se

Projektledare och textredaktör: Ingrid Lane
Grafisk form och omslag: Länk Grafisk Form & Illustration
Sättning och montage: Team Media Sweden AB, Falkenberg

Teckningar speciellt för denna bok: Martin Ehrling
Omslagsbild: Carina Länk, med utgångspunkt från ett foto av Birger Lallo/IMS/NordicPhotos

© 2006 Anette Althén och Natur & Kultur, Stockholm

Tryckt i Kina 2011
Första upplagans sjunde tryckning

ISBN 978-91-27-50610-7

Innehåll

 Arbeta i par.

 Arbeta i grupp.

 Skriv i egen skrivbok.

Hej!

1 Vad säger de? Fyll i.

Alfabetet

2 Fyll i de bokstäver som fattas.

ABC __ EF __ HIJ __ LM __
OPQ __ S __ U __ WX __ Z __ Ä __

3 **a** Vilken bokstav kommer efter?

g _h_   m __   å __

d __   r __   e __

k __   t __   l __

b Vilken bokstav kommer före?

_b_ c   __ i   __ c

__ p   __ q   __ d

__ j   __ k   __ v

4 Skriv namnen i alfabetisk ordning.

Klara   Hassan   Linda   Ellen   Jocke

_____

_____

_____

_____

_____

5 **a** Skriv hela alfabetet med stora bokstäver.

_A_ _____

_____

b Skriv hela alfabetet med små bokstäver.

_a_ _____

_____

6 **a** Ringa in vokalerna.

(A)BCDEFGHIJKLMNOPQRSTUVWXYZÅÄÖ

b Hur många vokaler finns det i svenskan? _____

c Skriv vokalerna med små bokstäver.

_a_ _____

7 Vilken bokstav passar inte in? Ringa in den.
Varför passar den inte?

1	p	r	j	y	t
2	e	u	g	y	o
3	i	l	å	ä	ö
4	l	m	a	v	d

Hur stavas det?

8 **a** Här är två listor med svenska förnamn. Läs dem.

FLICKNAMN	POJKNAMN
Anna	Peter
Hanna	Martin
Elin	Karl
Karin	Per
Johanna	Anders
Amanda	Ludvig
Gunilla	Sven
Margareta	Göran
Siv	Mats
Inger	David

_____   _____

_____   _____

_____   _____

_____   _____

_____   _____

_____   _____

b Välj tre namn ur listorna. Hur stavas de? Bokstavera för
en kamrat. Din kamrat skriver namnen.

c Kan du fler svenska förnamn? Är de pojknamn eller flicknamn?
Skriv dem i rätt lista i **a**.

Var kommer du ifrån?

9 **a** Läs ländernas namn på sidan 13 i läroboken. Titta på kartan på sidan 10 och 11. Var ligger länderna? Peka på dem.

b Vilka länder kommer klasskamraterna ifrån? Vad talar de för språk? Fråga dina kamrater. Fyll i listan.

NAMN	LAND	SPRÅK

10 **a** Läs listan med världsdelar.

b Fråga dina kamrater.

Exempel:
– Var ligger Somalia?
– Det ligger i Afrika.

VÄRLDSDELAR
Europa
Afrika
Asien
Sydamerika
Nordamerika
Oceanien

11 **a** Skriv om en kamrat.

Exempel:

Abdi kommer från Somalia.

Det ligger i Afrika. Abdi talar somaliska.

b Berätta nu om din kamrat.

Exempel:
Min kamrat heter Abdi. Han kommer från Somalia. Det ligger i Afrika.
Abdi talar somaliska.

12 Skriv om dig själv.

Jag heter _____.

Jag kommer från _____.

Det ligger i _____.

Jag talar _____.

I skolan

13 Skriv rätt siffra vid varje ord.

<u>5</u> ett suddgummi

___ en penna

___ en linjal

___ ett papper

___ en bok

___ ett bord

___ en stol

___ ett block

___ en pärm

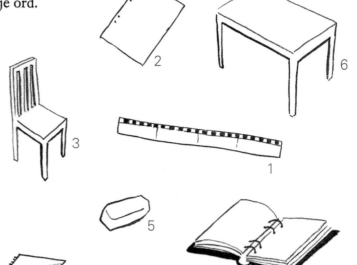

14 Vilka ord kan du se? Ringa in dem. Skriv alla orden.

A	R	K	P	E	N	N	A	T	I
F	S	L	Ä	R	A	R	E	M	L
M	B	O	R	S	M	J	I	P	A
E	Y	C	N	R	E	T	U	C	K
L	T	K	A	K	S	Y	Å	R	Y
I	B	A	G	A	R	E	L	E	V
N	Ö	F	K	H	O	P	J	K	Ä
J	S	T	A	V	L	A	S	O	S
A	I	Å	G	L	U	N	D	E	K
L	U	P	A	P	P	E	R	P	A

penna _____

_____

_____

_____

_____

_____

_____

_____

Jag heter Jonas

15 Läs vad Jonas säger på sidan 16
i läroboken.
Det här är familjen Johansson.
Vad säger Anna Johansson? Skriv.

Familjen Johansson

| Martin | Peter | Anna | Hanna |

16 Vad säger du? Skriv.

Jag

Räkna till 20

17 **a** Läs texten.

Hej! Jag heter Hanna. Jag är 17 år. Jag har en bror. Han heter
Martin. Han är 4 år.

Vi bor på Granvägen 5. Vi har en hund. Den är 3 år gammal.

Vi har 2 bilar. Mamma har en bil och pappa har en bil.

b Skriv alla räkneord med bokstäver.

17 _____

4 _____

5 _____

3 _____

2 _____

Vad gör de?

18 Skriv fem meningar. Välj ord ur varje ruta. Glöm inte stor bokstav och punkt!

jag	talar	bil
han	läser	i telefon
vi	lyssnar på	hem
de	äter	frukost
Peter och Anna	kör	tidningen
		engelska
		svenska
		en bok
		musik

Exempel:

Jag talar svenska.

19 Skriv meningar.

Exempel:

läser tidningen han		*Han läser tidningen.*
skriver Anna	1	
på teve tittar Martin	2	
dricker kaffe hon	3	
Hanna hem går	4	
cyklar Peter hem	5	
mat lagar han	6	

20 Tio av orden är verb. Vilka? Ringa in dem.

tack　(heter)　bara　jag　är　kommer　talar　penna　har

inte　dricker　cyklar　bil　lagar　teve　kör　hon　gör

21 **a** Vad gör de?

1 _Hon_ _____ 2 _____

_____ _____

3 _____

_____

4 _____ 5 _____

_____ _____

6 _____   7 _____

_____   _____

8 _____   9 _____

_____   _____

10 _____

b Vad gör du nu?

Jag _____

En och ett

22 Skriv ett ord på varje rad.

1 Peter är en _____ .

2 Anna är en _____ .

3 Martin är en _____ .

4 Hanna är en _____ .

5 Martin är ett pojknamn och Hanna är ett _____ .

6 Johansson är ett _____ .

23 Skriv andra en-ord och ett-ord som du kan.

EN-ORD	ETT-ORD
en lärare	ett bord
_____	_____
_____	_____
_____	_____
_____	_____
_____	_____

EN-ORD

ETT-ORD

_____   _____

_____   _____

_____   _____

_____   _____

_____   _____

_____   _____

_____   _____

Namn

24 Läs sidan 23 i läroboken. Svara på frågorna.

1 Vilket är det vanligaste flicknamnet i Sverige?

_____

2 Vilket är det vanligaste pojknamnet i Sverige?

_____

3 Vilket är det vanligaste efternamnet?

_____

25 Samtala i gruppen.

1 Tar kvinnan mannens efternamn när de gifter sig i ditt hemland?
2 Vems efternamn får barnen, pappans eller mammans?
3 Många svenska efternamn slutar på "son". Vad betyder det?

Möten

26 Läs dialogerna.

1

MAGNUS:	Hejsan!
EBBA:	Hej! Det var länge sedan! Hur är det?
MAGNUS:	Bara fint! Och du då?
EBBA:	Bara bra.

2

OSKAR:	Tjena!
ISAK:	Tjena!
OSKAR:	Hur är läget?
ISAK:	Fint. Själv då?
OSKAR:	Det är lugnt!

3

BIRGITTA:	God dag!
LENNART:	God dag, god dag!
BIRGITTA:	Hur står det till?
LENNART:	Tack, bra. Hur står det till själv då?
BIRGITTA:	Jo, tack, det är bra.

27 Samtala i gruppen.

1 Titta på bilderna i övning 26. Varför är dialogerna olika?

2 Titta på bilderna på sidorna 26 och 27 i läroboken. Vad säger personerna?

3 Hur hälsar man i ditt hemland?

28 **a** Fyll i orden som fattas i dialogen.

– Hej, jag _____ Peter.
₁

Vad heter _____ ?
₂

– Jag _____ Dimitris.
₃

– Var _____ du ifrån?
₄

– Jag _____ från Grekland, från Aten. Och du?
₅

– Jag är svensk. Jag kommer _____ Stockholm.
₆

Vad _____ du för språk?
₇

– Jag _____ grekiska och svenska.
₈

– Det var trevligt att träffa dig. Hoppas vi ses igen!

– Ja, hej då.

– Hej då.

b Arbeta i par. Läs dialogen.

c Titta på bild 4 på sidan 27 i läroboken.
Gör en dialog som i **a** mellan personerna på bilden.

Efter kapitel 1

a Vad kan du? Sätt kryss.

Jag kan

◯ hälsa på svenska

◯ skriva alfabetet med stora bokstäver

◯ skriva alfabetet med små bokstäver

◯ bokstavera mitt namn

◯ säga vad jag heter och var jag kommer ifrån

◯ räkna till 20

b Hur har du arbetat? Sätt kryss.

Jag har arbetat

◯ ensam

◯ i par

◯ i grupp

c Vad var lätt i kapitel 1?

Lätt i läroboken: _____

Lätt i övningsboken: _____

d Vad var svårt i kapitel 1?

Svårt i läroboken: _____

Svårt i övningsboken: _____

Söndag

1 Skriv sex meningar. Välj ord ur varje ruta. Glöm inte stor bokstav och punkt!

han	ringer		kaffe
hon	äter		hem
de	dricker	inte	frukost
Hanna och Emil	lyssnar		till mormor
mormor	går		på musik
	tittar		på bio
			på fotboll
			på teve

Exempel:

Hon går inte på bio.

2 Skriv meningar.

på musik hon
inte lyssnar

1 _____

Martin brev
inte skriver

2 _____

har inte barn
hon

3 _____

jag inte gift
är

4 _____

regnar det
inte

5 _____

han frukost
äter inte

6 _____

inte de
cyklar

7 _____

bil inte han
kör

8 _____

3 Läs texten. Skriv meningar med stor bokstav och punkt.

det är lördag hanna skriver ett brev till farfar martin sover mamma
är inte hemma hon är hos lisa pappa tittar på teve

_____

_____

_____

_____

_____

_____

4 Läs texten. Skriv meningar med stor bokstav och punkt.

sara och david kommer från irak de har bott i sverige i fem år de
bor i stockholm nu saras pappa och mamma bor i bagdad

_____

_____

_____

_____

_____

_____

Vad är det för väder?

5 **a** Titta på kartan och läs texten.

Det är fint väder i Sverige. Solen skiner i Stockholm.
Det är 20 grader varmt i Malmö och 18 grader varmt i Göteborg.
Det regnar och blåser i Danmark.
Det är molnigt i Norge.
Det är 10 grader varmt i Finland.

b Arbeta i par. Titta på kartan. Fråga och svara varandra.

Exempel:
– Vad är det för väder i Stockholm?
– Det är fint väder. Solen skiner.

– Vad är det för temperatur i Malmö?
– Det är 20 grader varmt.

Vad är det för dag i dag?

6 Vilken dag kommer efter?

1 Det är torsdag i dag. Det är _____ i morgon.

2 Det är söndag i dag. Det är _____ i morgon.

3 Det är måndag i dag. Det är _____ i morgon.

4 Det är onsdag i dag. Det är _____ i morgon.

5 Det är fredag i dag. Det är _____ i morgon.

6 Det är lördag i dag. Det är _____ i morgon.

7 Det är tisdag i dag. Det är _____ i morgon.

Räkna mera

7 **a** Vilket ord passar inte in? Ringa in det.

1	åttio	sextio	fyrtio	trettio	sexton
2	sjuttio	nitton	sjutton	fjorton	arton
3	femtio	nittio	tretton	åttio	fyrtio

b Skriv räkneorden i **a** med siffror.

1 _80_ ___ ___ ___ ___

2 ___ ___ ___ ___ ___

3 ___ ___ ___ ___ ___

8 Skriv räkneorden med siffror.

Exempel:

tjugotvå _22_   fyrtiotvå _____   trettiotre _____

tretton _____   femtiotre _____   tjugofem _____

fjorton _____   femton _____   sextio _____

arton _____   sjuttioåtta _____   trettio _____

9 a Läs texten.

Sonja är 33 år gammal. Hon är gift med Lennart. Han är 12 år äldre än Sonja. Han är 45 år. Sonja och Lennart har en flicka. Hon heter Sandra och hon är 10 år.

Sonja, Lennart och Sandra bor på Arbetaregatan 153 i Linköping.

Sonjas mamma är 74 år och hennes pappa är 77 år. Sonja har 5 syskon, 3 bröder och 2 systrar.

Lennarts mamma är 82 år och hans pappa är 83 år. Lennart har 4 syskon.

b Skriv räkneorden i texten med bokstäver.

33 trettiotre   _____

_____   _____

_____   _____

_____   _____

_____   _____

_____   _____

Vad har du för telefonnummer?

10 Vad har ni för telefonnummer? Fråga och svara varandra. Fyll i listan.

Exempel:

– Vad har du för telefonnummer?

– 23 89 16 (Tjugotre, åttionio, sexton. / Två tre, åtta nio, ett sex.)

NAMN	TELEFONNUMMER

Vad är klockan?

11 Hur mycket är klockan? Dra streck.

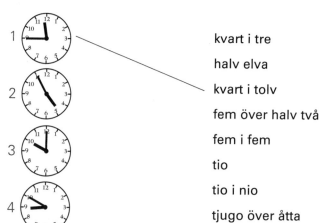

1

2

3

4

kvart i tre

halv elva

kvart i tolv

fem över halv två

fem i fem

tio

tio i nio

tjugo över åtta

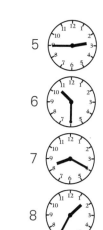

5

6

7

8

12 Vad är klockan? Skriv.

1 _____

2 _____

3 _____

4 _____

5 _____

6 _____

Den, det och de

13 Skriv **den, det, de**.

Exempel:

Jag har en penna. ___*Den*___ är svart.

1 Jonas läser en bok. _____ är ny.

2 Ellen skriver ett brev. _____ är till Malin.

3 Jocke läser en tidning. _____ heter Dagens Nyheter.

4 Eva har en väska. _____ är gammal.

5 Anders har två bilar. _____ är gamla.

6 Lena har en penna. _____ kostar 12 kronor.

14 a Skriv **den, det, han, hon, de**.

1 Lena läser en bok. _____ är bra.

2 Martin är hemma. _____ tittar på teve.

3 Klara är fem år. _____ går inte i skolan.

4 Jocke har två flickor. _____ heter Amanda och Olivia.

5 Pia köper ett bord. _____ är svart.

6 Tomas har tre pennor. _____ ligger på bordet.

b Skriv egna meningar på samma sätt som i **14a**.

c Byt papper med en kamrat. Kamraten skriver **den, det, han, hon, de**.

Vad har de?

15 Åtta av orden är substantiv. Vilka? Ringa in dem.

den (penna) år vad block köper jag hemma

de fem bok flicka bil äter teve frukost

16 Skriv substantiven i bestämd form.

OBESTÄMD FORM	BESTÄMD FORM	OBESTÄMD FORM	BESTÄMD FORM
en fotboll		ett brev	
ett namn		en elev	
en telefon		en lektion	
en penna		ett lexikon	

Från andra länder

17 Vad passar ihop? Dra streck.

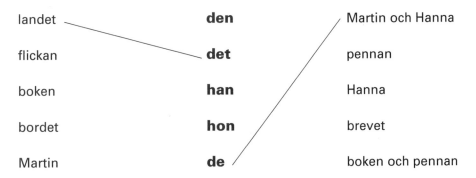

landet	**den**	Martin och Hanna
flickan	**det**	pennan
boken	**han**	Hanna
bordet	**hon**	brevet
Martin	**de**	boken och pennan

Sverige

18 Titta på kartan på sidan 41 i läroboken.

1 Var ligger Kiruna? Skriv på kartan här.

2 Vad heter Sveriges huvudstad? Var ligger den?
Skriv på kartan här.

3 Vad heter din stad? Var ligger den?
Skriv på kartan här.

19 a Skriv på ditt språk.

i norra Sverige _____

i södra Sverige _____

i östra Sverige _____

i västra Sverige _____

b Titta på kartan på sidan 41 i läroboken. Fyll i rätt ord.

norra	södra	östra	västra

1 Stockholm ligger i _____ Sverige.

2 Göteborg ligger i _____ Sverige.

3 Kiruna ligger i _____ Sverige.

4 Malmö ligger i _____ Sverige.

c Titta på kartan på sidan 41 i läroboken. Skriv egna meningar om städer som i **19b**.

20 a Skriv på ditt språk.

norr om _____

söder om _____

öster om _____

väster om _____

b Titta på kartan. Fyll i rätt ord.

norr söder öster väster

1 Göteborg ligger _____ om Malmö.

2 Karlstad ligger _____ om Stockholm.

3 Stockholm ligger _____ om Uppsala.

4 Stockholm ligger _____ om Karlstad.

c Titta på kartan. Skriv egna meningar om städer som i **20b**.

21 a Läs om Maria och om Sverige på sidan 41 i läroboken. Skriv om dig själv och ditt hemland på samma sätt. Du kan börja så här:

Jag heter ... Jag kommer från ... . Det ligger i ...

b Berätta nu om dig själv och ditt hemland.

På biblioteket

22 Läs texten och fyll i blanketten.

Anna Johansson bor på Granvägen 5 i Småstad. Postnumret
är 567 10. Annas familj har telefonnummer 0111-23 87 15. Annas
mobilnummer är 071-1234567 och e-postadressen är anna@minmejl.se.
Annas personnummer är 671116-3242.

Efternamn:	
Förnamn:	
c/o:	
Gatuadress:	
Postadress:	
Telefonnummer:	
Mobil:	
E-postadress:	
Personnummer:	

23 Läs blanketten och fyll i texten.

Efternamn:	Eriksson	Telefonnummer:	0112-289905	
Förnamn:	Maria	Mobil:	071-4400537	
c/o:	Lind	E-postadress:	maria@minmejl.se	
Gatuadress:	Storgatan 67	Personnummer:	870826-1481	
Postadress:	58003 Småstad			

Jag heter Maria _____. Jag bor på _____ 67

i en stad som heter _____. Jag hyr i andra hand av en kompis.

Hon heter Eva Lind. Min e-postadress är _____.

Jag är född den _____ augusti år _____.

Kläder och färger

24 Skriv rätt ord vid bilderna.

en jacka   en tröja   ett par byxor   en skjorta   ett par strumpor
ett par skor   ett linne   en kjol   en slips   en kavaj
ett par handskar   en mössa   ett skärp   en halsduk

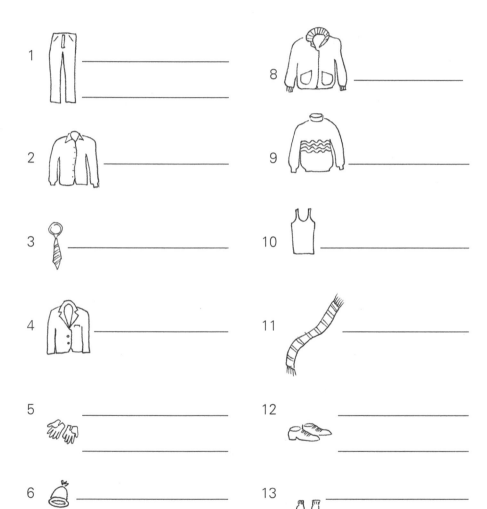

1 _____
_____

2 _____

3 _____

4 _____

5 _____
_____

6 _____

7 _____

8 _____

9 _____

10 _____

11 _____

12 _____
_____

13 _____
_____

14 _____

25 a Sex av orden är kläder. Vilka? Ringa in dem.

bok (mössa) bord äpple blus brev bil jacka

fönster kjol skärp radio soffa skåp skjorta väska

b Skriv **en** eller **ett** framför klädorden. Skriv också orden i bestämd form.

en mössa – mössan _____

_____ _____

_____ _____

26 a Vad har Jonas på sig?

Jonas har en grå _____ och

en vit _____ på sig.

Han har ett par blå _____

och svarta _____.

b Vad har du på dig i dag? Berätta för dina kamrater.
Börja så här:

– Jag har på mig ...

c Vad har dina kamrater på sig i dag? Skriv om dina kamrater.

Exempel:

Abdi har på sig en tröja och ett par byxor.

Kläder

27 **a** Arbeta i par. Läs dialogerna.

1

MARKUS: Vilken snygg jacka!
LUDVIG: Tack!

2

LENA: Har du ny tröja?
MONA: Ja, jag köpte den i går.
LENA: Vad fin!
MONA: Tack!

b Gör dialoger på samma sätt som i **a**. Använd de här klädorden:

en skjorta   en blus   en kjol   en klänning

28 Titta på bilderna på sidorna 46 och 47 i läroboken. Samtala i gruppen.

1 Vad har de på sig?
2 Vad gör de?
3 Från vilka länder är bilderna? Hur ser du det?

Efter kapitel 2

Vad kan du? Sätt kryss.

Jag kan

◯ berätta om vädret

◯ fråga om ett telefonnummer

◯ förstå när någon säger ett telefonnummer

◯ säga vad klockan är

◯ säga namnen på veckans dagar

◯ räkna till 100

◯ säga mina personuppgifter

   (namn, adress, telefonnummer och personnummer)

◯ berätta vad jag har på mig

Alla bor i samma hus

1 Skriv fem frågor. Välj ord ur varje ruta. Glöm inte stor bokstav
och frågetecken!

bor	hon	i skolan
har	de	gift
är	Hanna	på teve
går	han	en bil
tittar	Peter	i Stockholm
		hem

Exempel:

Går Hanna i skolan?

2 Skriv frågor.   *questions*

dricker kaffe han ?	1 _____
målare Peter ? är	2 _____
mat ? hon lagar	3 ~~Lagar~~ mat hon lagar
heter Hugo ? hunden	4 Heter hunden Hugo
har barn de ?	5 _____
? bil kör Anna	6 Kör Anna bil

3 Skriv punkt eller frågetecken.

1 Han bor i Sverige .

2 Kommer du från Sverige ?

3 Jag är inte gift .

4 Har du barn ?

5 Cyklar du till skolan ?

6 Är du gift ?

4 **a** Fyll i orden som fattas. Titta i rutan. Välj ord som passar i texten.

fits look [bok]

| arbetar | barn | ~~bor~~ | dagis | gift | går | heter | målare | samma |

Familjen Johansson __*bor*__ på Granvägen 5.
                        1

Pappan i familjen heter Peter. Han är 40 år.

Han __*arbetar*__ på en bank.
        2

Peter är _____ med Anna. Hon är 39 år.
              3

Hon är lärare, men hon har inget jobb just nu.

Dom
De har två __*barn*__, Hanna och Martin.
                4

Hanna är 17 år. Hon _____ i skolan.
                        5

likes
Hon tycker om skolan. Hanna går i _____
                                        6

klass som Emil.

Martin är 4 år. Han går inte på _____ .
                                    7

Han är hemma med mamma på dagarna. *during the day*

wants
Martin vill bli __*målare*__ .
                    8
to become
Familjen har en hund. Den _____ Hugo.
                            9

b Skriv sex frågor på texten om familjen Johansson i **a**. Börja med verb.

Exempel:

Bor familjen Johansson på Granvägen 5?

Heter pappan Martin?

c Ge dina frågor till en kamrat. Kamraten svarar på frågorna.

5 **a** Titta på texten om familjen Johansson i **4a**. Skriv på samma sätt om dig och din familj.

You i your

b Berätta nu om dig och din familj. Använd det du skrev i **a** som hjälp.

6 **a** Vilka yrken har de? Läs meningarna.

Hassan är lärare. Han arbetar i en skola och undervisar elever.
Jonas är målare. Han målar hus och lägenheter.

b Här är fler yrken. Vad gör de? Dra streck.

1 en brevbärare   kör buss

2 en tandläkare   lagar tänder

3 en sjuksköterska   sköter om sjuka människor

4 en servitör   sitter i kassan i en affär

5 en kock   serverar mat

6 en busschaufför   delar ut post

7 en kassörska   lagar mat

8 en snickare   bygger hus

7 **a** Arbeta i par. Läs dialogerna.

1 **MARIA**: Är du gift?
  PETER: Ja, med Anna. Du då?
  MARIA: Jag är skild.

2 **PETER**: Är du och Linda gifta?
  HASSAN: Nej, vi är sambo.

3 **LISA**: Är du gift?
  LENA: Nej, det är jag inte. Du då?
  LISA: Nej, jag är också ogift.

b Fråga några kamrater på samma sätt som i dialogerna i **a**.

Näs

Årstider och månader

8 **a** Läs texten.

Det finns fyra årstider i Sverige: sommar, höst, vinter och vår. På vintern är det kallt och det snöar. På sommaren är det mellan 15 och 30 grader varmt.

I norra Sverige kommer det mycket snö på vintern och det kan vara minus tjugo grader. Snön ligger kvar långt in i maj månad. I södra Sverige är vintern kort och sommaren lång.

I norra Sverige är det ljust dygnet runt på sommaren. Solen går inte ner. Men på vintern är det mörkt även på dagen. Då går solen inte upp.

b Skriv om ditt hemland. Här får du lite hjälp:

Hur många årstider finns det?	Hur kallt är det?
Hur varmt är det?	När är det kallt?
När är det varmt?	Snöar det?
Regnar det ofta?	När går solen upp?
Blåser det?	När går solen ner?

c Slå upp sidan 10 och 11 i läroboken. Visa dina kamrater var ditt land ligger. Berätta om vädret i ditt land.

9 **a** Jennys personnummer är 850130-1242. 85 betyder att hon är född 1985. 01 betyder januari som är årets första månad. Jenny har födelsedag den 30 januari.

Vilka månader ser du i de här numren?

Exempel: 820828 _augusti_

1 800102 _____	4 680304 _____
2 791113 _____	5 851007 _____
3 450528 _____	6 930707 _____

b Vilken månad har du födelsedag? _____

När går tåget?

10 Vad är klockan? Dra streck.

1    18.10   5

           08.50

2   15.40   6

           06.45

           19.05

3   15.15   7

           18.50

4   21.05   8

11 Skriv med siffror.

Kvart över tio på morgonen. _10.15_   Kvart över tio på kvällen. _22.15_

1 Halv tolv på dagen. _____   Halv tolv på natten. _____

2 Tio över sju på morgonen. _____   Tio över sju på kvällen. _____

3 Kvart i ett på dagen. _____   Kvart i ett på natten. _____

4 Tio i två på dagen. _____   Tio i två på natten. _____

5 Halv tre på dagen. _____   Halv tre på natten. _____

6 Fem över sex på morgonen. _____   Fem över sex på kvällen. _____

Sara och Malin

12 **a** Läs texten.

Hanna går i skolan alla vardagar. På måndagar, tisdagar och fredagar börjar hon tio över åtta. På onsdagar och torsdagar börjar hon tjugo i nio. Hon slutar kvart i fyra måndag–torsdag. På fredagar slutar hon halv två. På lördagar och söndagar sover hon till nio eller halv tio.

b Svara på frågorna.

1 När börjar Hanna skolan på måndagar? _____

2 Vilka dagar går hon i skolan? _____

3 När slutar hon på tisdagar? _____

4 När vaknar hon på helgen? _____

c Fyll i Hannas schema.

Måndag	*8.10–15.45*
Tisdag	
Onsdag	
Torsdag	
Fredag	

13 **a** När går du i skolan? Fyll i ditt eget schema. Skriv tid med siffror.

Måndag
Tisdag
Onsdag
Torsdag
Fredag

b När börjar du och när slutar du i skolan? Skriv tid med bokstäver.

På måndagar börjar jag _____

och slutar _____ .

På tisdagar börjar jag _____

och slutar _____ .

På onsdagar börjar jag _____

och slutar _____ .

På torsdagar börjar jag _____

och slutar _____ .

På fredagar börjar jag _____

och slutar _____ .

c Vad gör du på helgen?

_____

_____

Biblioteket
ÖPPETTIDER
måndag–fredag 9.30–20.00
lördag 9.30–17.00
söndag 11.00–16.00

BOKHANDELN
BOKEN
ÖPPET
MÅNDAG–FREDAG 10.00–18.00
LÖRDAG 10.00–13.00

14 Skriv med bokstäver när de öppnar och när de stänger.

Exempel:
Biblioteket öppnar _klockan halv tio_ och stänger _åtta_ på vardagar.

1 Biblioteket öppnar _____

och stänger _____ på lördagar.

2 Biblioteket öppnar _____

och stänger _____ på söndagar.

3 Bokhandeln öppnar _____

och stänger _____ på vardagar.

4 Bokhandeln öppnar _____

och stänger _____ på lördagar.

15 a Läs dialogen med en kamrat.

HANNA: Ursäkta, vet du när biblioteket är öppet?
JOCKE: Ja, det öppnar klockan halv tio och stänger
klockan åtta på kvällen på vardagar.
HANNA: Är det öppet på helgen också?
JOCKE: Ja, på lördagar är det öppet mellan halv tio och fem.
På söndagar är det öppet mellan elva och fyra.
HANNA: Tack ska du ha.
JOCKE: Ingen fara.

b Gör egna dialoger om bokhandeln i övning **14**.

Klara träffar Jocke

16 Läs texten på sidan 58 i läroboken. Skriv svar.

1 Hur många barn har Jocke? _____

2 Hur gammal är Klara? _____

3 Hur gammal är Emil? _____

4 Vad heter Klara i efternamn? _____

5 Vad heter katten? _____

6 Vad spelar Emil? _____

17 **a** Arbeta i par. Martin träffar Hassan. Skriv en dialog. Titta på
sidan 58 i läroboken så får ni hjälp. Börja så här:

> **MARTIN:** Hej, vad heter du?
> **HASSAN:** Hej. Jag ...

b Läs dialogen för kamraterna.

18 Fyll i rätt pronomen.

Exempel:

– Varifrån kommer _du_____?

– _Jag_____ kommer från Grekland.

1 Hur gammal är Hanna?

– _____ är sjutton år.

2 – Är Jocke gift?

   – Nej, _____ är skild.

3 – Har du en cykel?

   – Ja, _____ står där borta.

4 – Vet du var Hassan och Linda bor?

   – Ja, _____ bor på Granvägen 4.

5 – Har ni barn?

   – Ja, _____ har två barn, Martin och Hanna.

   – Går _____ i skolan?

   – Hanna går i skolan, men inte Martin. _____ är bara 4 år.

6 – Var är lexikonet?

   – _____ ligger på bordet.

7 – Bor du i Malmö?

   – Nej, _____ bor i Helsingborg.

8 – Kommer ni från Sverige?

   – Nej, _____ kommer från Danmark.

Möbler

19 Sex av orden är möbler. Vilka? Ringa in dem.

en gitarr   en mössa   ett äpple   (ett skåp)   en säng

ett brev   en bil   en stol   ett fönster   en fåtölj   ett skärp

en tavla   en soffa   ett bord   en skjorta   ett block

Jockes lägenhet

20 **a** Titta i texten på sidan 62 i läroboken. Fyll i substantiven som fattas.

Jockes lägenhet har två _____ och kök.

Han har ett bord och fyra _____ i köket.

På bordet ligger några _____.

I vardagsrummet har han en soffa, två _____

och ett soffbord.

I Jockes sovrum finns det tre _____

och två _____.

b I **a** skrev du pluralform av sex substantiv. Skriv singularformen här.
Skriv **en** eller **ett** framför singularformen.

1 *ett rum*_____   4 _____

2 _____   5 _____

3 _____   6 _____

21 **a** Vilka saker passar i rummen? Skriv orden under det rum du tycker passar bäst. Några saker kan passa i flera rum.

en dusch   en säng   en spis   en väckarklocka   en fåtölj
en teve   ett matbord   en frys   ett kylskåp   ett soffbord
ett handfat   ett sängbord   ett badkar   en soffa   en toalettstol
en matta   en tvättmaskin   en bokhylla   en garderob   en stereo

VARDAGSRUM   SOVRUM

_____   _____

_____   _____

_____   _____

_____   _____

_____   _____

KÖK   BADRUM

_____   _____

_____   _____

_____   _____

_____   _____

_____   _____

b Arbeta i par. Jämför era listor. Är de olika?
Förklara för varandra hur ni tänker.

22 a Hur ser det ut hemma hos dig? Skriv om ditt hem.
Börja så här:

Jag bor i ...

b Berätta för kamraterna om ditt hem.

Bo i Sverige

23 Läs texten och titta på diagrammet på sidan 65 i läroboken.
2 procent av alla i Sverige bor inte i lägenhet och inte i småhus.
Var bor de, tror du? Samtala i gruppen.

Hemma

24 Bilderna på sidorna 66 och 67 i läroboken visar olika rum.
Skriv bildernas nummer vid rummen.

en hall   _____

ett kök   _____

ett vardagsrum   _____

ett sovrum   _____

ett badrum   _____

25 a Skriv på ditt språk.

på	mellan	står
i	bredvid	ligger
under	framför	hänger
över	bakom	

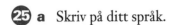

b Rätt eller fel? Titta på bilderna på sidorna 66 och 67 i läroboken.
Skriv R (rätt) eller F (fel).

1 Spisen står bredvid diskmaskinen. ____

2 Mattan ligger under soffbordet. ____

3 Tavlan hänger över sängen. ____

4 Jackan hänger i köket. ____

5 Sängen står mellan två lampor. ____

6 Soffan står framför fönstret. ____

7 Lampan står bakom bokhyllan. ____

8 Bokhyllan står bredvid spisen. ____

26 Samtala i gruppen.

1 Vilka är de? Berätta om familjen som ni ser på bilderna.
2 I vilket land är det?
3 Jämför med ditt hemland. Ser en bostad likadan ut? Vad är olika?

27 Skriv om familjen som bor i lägenheten. Använd din fantasi!

Efter kapitel 3

Vad kan du? Sätt kryss.

Jag kan

◯ fråga om en persons familj

◯ säga namnen på alla månader och årstider

◯ förstå mitt schema

◯ säga namnen på några möbler

◯ berätta om min bostad

Vad gör de i dag?

1 Titta i rutan. Välj ord som passar i meningarna.

dagbok	frisör	förmiddagen	hela	hem	~~kompis~~
ledig	lunch	middag	natten	sedan	vaknar	vägen

Exempel:

Hanna har en _kompis_____ som heter Emil.

1 Skriver du _____ varje dag?

2 Kalle är _____. Han klipper mig.

3 Jag går i skolan på _____. Efter lunch går jag hem.

4 Jag _____ klockan sju på morgonen.

5 Först duschar jag. _____ äter jag frukost.

6 Vi äter _____ klockan 19.00.

7 Efter skolan går jag _____ och lagar mat.

8 På _____ hem från stan träffar jag en kompis.

9 Äter du _____ klockan tolv?

10 Hassan arbetar inte i dag. Han är _____ från jobbet.

11 Jag börjar skolan klockan åtta och slutar klockan tolv. Jag går i skolan

_____ förmiddagen.

12 Han sover på dagen, för han arbetar på _____.

2 Para ihop frågor och svar. Dra streck.

1 När kommer du hem?

2 Vart går du?

3 Hur kommer du till skolan?

4 Var bor du?

5 Vem skriver du till?

6 Vilka går du på bio med?

7 Vad gör du nu?

8 Varför äter du inte?

Till skolan.

Klockan fem.

I Stockholm.

Med tåg.

Jag är trött.

Mamma.

Jag lagar mat.

Eva och Anton.

3 Skriv fem frågor. Välj ord ur varje ruta. Glöm inte stor bokstav och frågetecken!

var	ringer	Hassan	kaffe
när	äter	de	hem
vad	dricker	ni	lunch
vart	lyssnar	Emil och Hanna	till mormor
varför	går	hon	på musik
	tittar	katten	på bio
			på fotboll
			på teve

Exempel:

Varför ringer hon hem?

4 Skriv frågor.

börjar när
du ? skolan

1 _____

kommer han
hem när ?

2 _____

vad ? Anna
gör klockan tre

3 _____

bor Anna ?
och Peter var

4 _____

Ellens dag

5 **a** Läs texten.

Peter vaknar först i familjen Johansson. Han stiger upp klockan halv
sju och gör frukost. Han sätter på kaffe och tar fram bröd, smör, ost och
filmjölk. Sedan väcker han Hanna. De äter frukost tillsammans. Klockan
åtta kör han till banken. Han börjar klockan halv nio och slutar klockan sex
på kvällen.

Hanna går till skolan klockan halv åtta. Hon börjar tio över åtta. Hon har
matematik första lektionen i dag. Hon slutar klockan kvart i fyra. Då cyklar
hon till stallet och rider.

Anna vaknar klockan åtta. Hon läser tidningen i sängen och tittar på
platsannonserna. Sedan väcker hon Martin. De äter frukost och går ut med
Hugo. Hugo tycker om att gå långa promenader, men Martin blir trött i
benen. Ibland stannar han hemma på gården och leker i stället.

Anna och Martin äter lunch klockan tolv. På eftermiddagen går de till
simhallen. Martin tycker om att bada. På vägen hem handlar de mat, och
sedan lagar Anna middag. Hela familjen Johansson äter middag klockan
sju på kvällen.

b Skriv på ditt språk.

först	ett stall	stanna (stannar)
stiga upp (stiger upp)	rida (rider)	en gård
sätta på (sätter på)	en platsannons	leka (leker)
(ett) smör	tycka om (tycker om)	i stället
en ost	lång	en simhall
(en) filmjölk	en promenad	bada (badar)
väcka (väcker)	ett ben	handla (handlar) mat
(en) matematik		

c Skriv orden som fattas i frågorna.

Exempel:

Vem ___vaknar___ först
i familjen Johansson?   Peter.

1 När _____ han upp?   Klockan halv sju.

2 Vad _____ han först?   Han sätter på kaffe.

3 Vad _____ han fram?   Bröd, smör, ost
                                                 och filmjölk.

4 Vem _____ han?   Hanna.

5 När _____ ?   Klockan åtta.

6 Vart _____ ?   Till banken.

7 När _____ ?   Klockan halv nio.

8 När _____ ?   Klockan sex på
                                                 kvällen.

d Skriv egna frågor till resten av texten. Börja med frågeord.

Vad ...?	När ... ?	Vart ...?
Vem ...?	Var ...?	Varför ...?

e Ställ dina frågor till en kamrat.

6 Skriv om din dag. Du kan börja så här:

Jag vaknar ...

Emil kommer för sent

7 **a** Lös korsordet. Alla orden i korsordet finns i texten på sidorna 76 och 77 i läroboken.

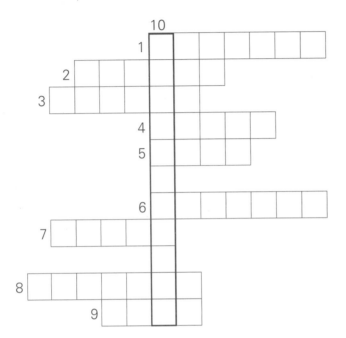

1 Han ... på dörren innan han går in.

2 Jag hörde inte. ..., vad sa du?

3 Emil ... Hanna.

4 Hanna tycker att Emil är ... .

5 Hanna och Emil kommer för ... .

6 ... att jag kommer för sent.

7 Fråga Emil! = Fråga ...!

8 Han ... fönstret. Det är kallt.

9 Hanna tänker på Emil nästan varje dag. = Hanna tänker ... på Emil.

b Vilket ord blir nummer 10? _____

c Skriv en mening med ord nummer 10.

8 **a** Vad säger eleven? Välj meningar som passar in i dialogerna.

> Min dotter är sjuk.   Jag har ont i huvudet.
>
> Min cykel är sönder.   Jag hittade inte min väska först.
>
> Min buss kom inte.

1

ELEVEN: Ursäkta att jag kommer för sent.

_____

LÄRAREN: Oj då. Har du mycket ont?

2

ELEVEN: Förlåt att jag kommer för sent.

_____

LÄRAREN: Jag hoppas att hon blir bra snart.

3

ELEVEN: Ursäkta att jag kommer för sent.

_____

LÄRAREN: Oj. Kunde du inte låna en annan cykel?

4

ELEVEN: Förlåt att jag kommer för sent.

_____

LÄRAREN: Går det ingen annan buss?

5

ELEVEN: Ursäkta att jag kommer för sent.

_____

LÄRAREN: Var hittade du den sedan då?

b Läs dialogerna med en kamrat.

9 **a** Skriv meningarna på ditt språk.

Han känner sig glad.	Han kommer för sent.
Han känner sig ledsen.	Det är viktigt.
Han är rädd.	Det är inte viktigt.
Han är generad.	Han missar lektionen.
Han kommer i tid.	Han stör kamraterna.

b Samtala i gruppen. Ni kan använda meningarna i **a**.

1 Hur känner sig Emil?

2 Hur känner sig Hanna?

3 Hur känner du dig om du kommer för sent till lektionen?

4 Varför ska man komma i tid till skolan?

10 Skriv **mig, dig, honom, henne**.

1 Min bror bor i Kiruna. Jag träffar inte _____ så ofta.

2 Kan du komma till _____ i kväll? Vi kan äta middag tillsammans.

3 Där är Maria. Du kan fråga _____.

4 Emil träffar ofta Hanna. Han gillar _____.

5 Kan du komma? Jag vill träffa _____.

11 Skriv meningar.

mig han ringer till	1 _____
Anna honom pratar med	2 _____
frågar vi henne	3 _____

han på dig tittar	4 _____
väntar på dig jag	5 _____

12 Skriv egna meningar med **mig**, **dig**, **honom** och **henne**.
Använd de här orden:

tänker på	pratar med	tittar på	ringer till
lyssnar på	träffar	väntar på	frågar

Exempel:

Jag tänker ofta på dig.

Jocke arbetar mycket

13 a Skriv **många** eller **mycket**.

1 Han läser _____.

2 Han har _____ böcker.

3 Peter lagar _____ mat.

4 Martin dricker _____ mjölk.

5 Hanna dricker _____ glas mjölk.

6 Det regnar _____ på hösten.

b Skriv egna meningar med **många** eller **mycket**.
Använd de här orden:

kaffe	pennor	mat	bilar	tidningar

På gatan

14 **a** Arbeta i par. Läs dialogen på sidan 81 i läroboken. Titta på kartan. Skriv rätt siffra efter platserna.

Apoteket _____

Banken _____

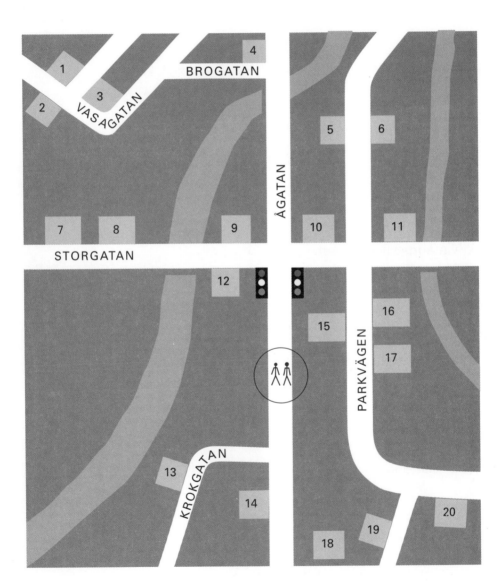

b Läs dialogen tillsammans med en kamrat.

> **MANNEN:** Ursäkta, var ligger posten?
> **KVINNAN:** Gå den här gatan rakt fram. Gå till höger vid trafikljusen. Ta nästa tvärgata till höger. Posten ligger på vänster sida bredvid bion.
> **MANNEN:** Åh, vänta ett tag. Jag skriver. Först rakt fram och sedan till höger?
> **KVINNAN:** Ja, vid trafikljusen.
> **MANNEN:** Sedan till höger igen?
> **KVINNAN:** Just det, och posten ligger till vänster.
> **MANNEN:** Efter bion?
> **KVINNAN:** Nej, först ligger posten och sedan bion.
> **MANNEN:** Tack så mycket.
> **KVINNAN:** Det var så lite.

c Titta på kartan på sidan 58. Skriv rätt siffra efter platserna.

Posten   _____

Bion   _____

d Välj ett annat hus på kartan. Skriv ett namn där, till exempel **skolan**, **simhallen**, **dagis**. Skriv en dialog. Börja så här:

– Ursäkta, var ligger ...?
– Gå ...

e Läs dialogen för ett annat par. De försöker hitta platsen på kartan.

Dagens måltider

15 **a** Samtala i gruppen.

1 Hur många måltider om dagen äter man i ditt hemland?
2 Vilken tid äter man?
3 Vad äter man?

b Skriv om måltiderna som man äter i ditt hemland.

Exempel:
Vi äter ... och dricker ... till frukost.

När är du född?

16 Skriv datum med siffror.

1 den sjätte i sjunde   _____   6 den trettiförsta i åttonde _____

2 den tjugonde i fjärde   _____   7 den fjortonde i andra   _____

3 den nittonde i tionde   _____   8 den fjärde i tredje   _____

4 den tjugosjunde i sjunde   _____   9 den trettonde i femte   _____

5 den sjuttonde i tolfte   _____   10 den artonde i sjätte   _____

17 Svara på frågorna.

1 Vilket datum är det i dag?   _____

2 Vilken är den första dagen på året?   _____

3 Vilken är den sista dagen på året?   _____

4 När fyller du år?   _____

18 När fyller kamraterna år?

a Fråga och svara varandra. Fyll i listan. Skriv datum med siffror.
Du kan fråga på tre sätt:
– När fyller du år?
– Vilket datum är du född?
– När har du födelsedag?

NAMN	FÖDELSEDAG
Abdi	*11 / 10*

b Arbeta i par. Titta på listan och fråga och svara.
Du kan fråga på tre sätt:
– När fyller Abdi år?
– Vilket datum är Abdi född?
– När har Abdi födelsedag?

Du kan svara på två sätt:
– Den elfte oktober.
– Den elfte i tionde.

19 **a** Läs texten om huset på Granvägen 4.

Familjen Åberg bor på översta våningen.
De har fin utsikt över staden.

Under familjen Åberg bor Jocke Palmgren.
Han bor ensam, men hans barn
kommer ibland.

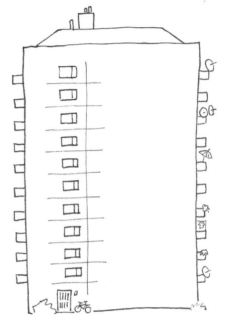

På bottenvåningen bor en gammal kvinna.
Hon heter Greta Svensson.
Hon tycker inte om att åka hiss.

Tre våningar under familjen Åberg bor
Hassan Scali och Linda Nilsson.
De är sambo.

Peter Olsson med familj bor på våningen
över Greta.

Två våningar över familjen Olsson bor
Lisa Sylvén.

Under Hassan och Linda bor en familj
från Irak. De heter Mahmoud i efternamn.

På fjärde våningen bor en man som heter
Lars Persson.

Anders Lindström bor under Jocke.
Två våningar över Greta Svensson
bor Karin Fors.

En våning står tom.

b Stryk under ord du inte förstår. Skriv dem på ditt språk.

c Titta på texten i **a**. Fyll i efternamnen på rätt våning.

VÅNING	NAMN
10	_____
9	_____
8	_____
7	_____
6	_____
5	_____
4	_____
3	_____
2	_____
1	_____
BV	_____

d Vilken våning är tom? _____

e Arbeta i par. Fråga och svara varandra.

Exempel:
- Var bor Lars Persson?
- På vilken våning bor ...?
- Vilka bor på ... våningen?

Måltider

20 Titta på bilderna på sidorna 86 och 87 i läroboken.
Samtala i gruppen.

1 Vilka måltider äter personerna?

2 Vad äter de?

3 I vilket land är de?

4 Skulle det kunna vara i ditt hemland? Varför? Varför inte?

5 Hur många måltider äter du varje dag?

21 Välj en av bilderna och skriv om den. Använd din fantasi!

22 **a** Skriv på ditt språk.

en tallrik	en sked	en flaska
ett glas	en bricka	en mugg
en kniv	en servett	en skål
en gaffel	en tillbringare	en tekanna

b Skriv rätt ord vid bilderna.

1  _____

4  _____

2  _____

5  _____

3  _____

6  _____

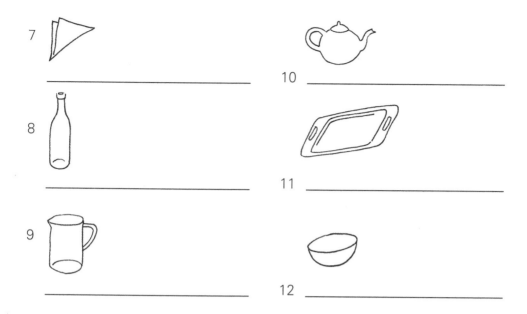

7 _____

8 _____

9 _____

10 _____

11 _____

12 _____

23 **a** Vilka substantiv passar till verben? Dra streck till rätt verb.
Det kan vara flera som passar ihop.

en tallrik

ett glas

en kniv

en kastrull

en flaska

en sked

en stekpanna

en skål

äta

dricka

laga mat

en kopp

en tekanna

en spis

en mugg

ett fat

en ugn

en gaffel

en tillbringare

b Jämför med kamraterna. Har ni svarat olika? Förklara för varandra.

Efter kapitel 4

a Vad kan du? Sätt kryss.

Jag kan

◯ berätta vad jag gör en dag

◯ säga vilken tid på dygnet det är

◯ säga när jag är född

◯ säga vilket datum det är

◯ berätta varför jag kommer för sent

◯ fråga efter vägen till en plats

◯ beskriva vägen till en plats

◯ förstå när någon beskriver vägen

b Vad var lätt i kapitel 4?

Lätt i läroboken: _____

Lätt i övningsboken: _____

c Om du inte förstår ett ord, vad gör du?

◯ frågar läraren

◯ frågar en kamrat

◯ tittar i ett lexikon

◯ ingenting

d Vad behöver du öva mera på? _____

_____

En dag i Lisas liv

1 Bilderna på sidan 88 i läroboken visar Lisas dag. De här bilderna
visar Jockes dag.

a Vad gör Jocke först? Vad gör han sedan? Skriv bildernas nummer
vid meningarna.

___ På kvällen går han ut och dricker öl.

___ Han sover hela förmiddagen.

___ Kvart över sex på morgonen kommer han hem från jobbet. Han är trött.

___ Efter lunch ringer han till en kompis.

___ På eftermiddagen går han till frisören.

___ Klockan ett äter han lunch hemma i köket.

b Arbeta i par. Berätta om Jockes dag för varandra.

2 Samtala i gruppen.

1 Vad är en reklamfilm?
2 Var kan man se reklamfilm?
3 Brukar du titta på reklamfilm? Varför? Varför inte?
4 Berätta om en reklamfilm som du tycker är bra.
5 Berätta om en dålig reklamfilm.

3 a Läs texten.

Linda stiger upp klockan kvart i sju. Först går hon in i badrummet
och duschar. Sedan äter hon frukost. Efter frukosten läser hon tre
kapitel i en bok. Sedan tar hon bussen till universitetet.

Hon börjar på universitetet klockan två. Klockan fyra slutar hon
och tar bussen hem igen. Hon stiger av bussen vid affären och
handlar mat till middagen.

Hon lagar mat och äter middag ensam i köket. Sedan diskar hon
och går in i vardagsrummet. Hon tittar på nyheterna på teve.
Klockan halv nio kommer Hassan hem.

b Skriv frågor på texten om Linda. Börja med verb.

Exempel:

Stiger Linda upp klockan kvart i sju?

Äter hon frukost i sängen?

c Arbeta i par. Fråga och svara varandra.

4 Skriv meningar. Börja med orden som har **fet stil**.

| vaknar Hassan **klockan sju** | 1 _____ |

trött **han** är   2 _____

han **först** duschar   3 _____

han frukost **sedan** äter   4 _____

kursen klockan halv nio börjar   5 _____

äter han lunch **klockan tolv**   6 _____

han till Linda ringer **klockan kvart över två**   7 _____

    _____

hon inte svarar   8 _____

kursen **klockan sju** slutar   9 _____

han åker hem **då**   10 _____

5 Skriv vad du gör en dag. Du får hjälp med början på meningarna.

Jag vaknar klockan ...

Klockan ...

Klockan ...

På eftermiddagen ...

Sedan ...

På kvällen ...

Varför?

6 Adjektiv beskriver personer eller saker. Ordet **stor** är ett adjektiv. **Ny** är också ett adjektiv.

Nio av orden är adjektiv. Vilka? Ringa in dem.

(arg)   bok   glad   gråter   hungrig   jacka   kök

ledsen   liten   mat   skratta   skriker   skriver

snygg   soffa   sömnig   trött   törstig   varför   äter

Jonas åker taxi

7 Fyll i orden som fattas. Titta i rutan. Välj ord som passar i texten.

| arbetskamrat | fest | gift | god natt | gården |
| gärna | ingenting | sover | stor | ta | äter |

I kväll är det fest hos Karl. Karl är _____ med Åsa

och de har en dotter som heter Julia. Hon är 3 år.

Karl är _____ till Peter. De jobbar på samma bank.

Det är en stor _____ med mycket folk, både barn

och vuxna. Det är fint väder, så de sitter ute på _____

och _____.

    KARL: Varsågod, Hanna. _____ mer glass!

    HANNA: Ja, tack, _____.

    ÅSA: Äter du _____, Martin?

MARTIN: Nej, jag är inte hungrig.

KARL: Du måste äta ordentligt, så att du blir _____
9
och stark.

Alla tycker att det är en trevlig fest, men klockan tio är Martin trött.

PETER: Nej, nu måste vi gå hem. Martin är trött. Tack för en trevlig fest.

KARL: Tack för att ni kom. _____ och sov gott!
10
Vi ses på måndag.

ÅSA: Titta på Julia! Hon _____ redan.
11

8 Läs sidan 96 i läroboken. Skriv svar.

1 Var är Jonas?

_____

2 Hur kommer Jonas hem från festen?

_____

3 Var brukar Jocke träffa Klara?

_____

4 När ska Jocke och Jonas träffas igen?

_____

5 Vad ska de göra på lördag?

_____

6 Hur mycket betalar Jonas för taxiresan?

_____

9 Sätt kryss för rätt svar.

1 Har Jonas barn?

   ⃝ Ja, det har han.   ⃝ Nej, det har han inte.

2 Är Jonas Klaras pappa?

   ⃝ Ja, det är han.   ⃝ Nej, det är han inte.

3 Bor Jocke på Granvägen 4?

   ⃝ Ja, det gör han.   ⃝ Nej, det gör han inte.

4 Är Ellen Emils mamma?

   ⃝ Ja, det är hon.   ⃝ Nej, det är hon inte.

5 Bor Jonas ensam?

   ⃝ Ja, det gör han.   ⃝ Nej, det gör han inte.

6 Är Jocke gift?

   ⃝ Ja, det är han.   ⃝ Nej, det är han inte.

7 Har Jocke barn?

   ⃝ Ja, det har han.   ⃝ Nej, det har han inte.

8 Känner Jocke Hassan och Linda?

   ⃝ Ja, det gör han.   ⃝ Nej, det gör han inte.

9 Följer Jocke med och fiskar?

   ⃝ Ja, det gör han.   ⃝ Nej, det gör han inte.

10 Är Jonas Emils pappa?

   ⃝ Ja, det är han.   ⃝ Nej, det är han inte.

10 Sätt kryss för rätt svar.

1 Är Ellen gift?

◯ Ja, det gör hon. ◯ Ja, det har hon. ◯ Ja, det är hon.

2 Har hon barn?

◯ Ja, det gör hon. ◯ Ja, det har hon. ◯ Ja, det är hon.

3 Kör hon taxi?

◯ Nej, det gör hon inte. ◯ Nej, det har hon inte. ◯ Nej, det är hon inte.

4 Är Klara sex år?

◯ Nej, det gör hon inte. ◯ Nej, det har hon inte. ◯ Nej, det är hon inte.

5 Bor Jocke på Granvägen?

◯ Ja, det gör han. ◯ Ja, det har han. ◯ Ja, det är han.

11 a Skriv svar.

1 Är du gift? _____

2 Har du barn? _____

3 Talar du engelska? _____

4 Arbetar du? _____

5 Har du bil? _____

6 Cyklar du till skolan? _____

b Skriv frågor till en kamrat. Frågorna ska börja med verb.

Exempel:

Kommer du från Ryssland?

c Ställ frågorna till din kamrat. Kamraten svarar.

Exempel:

Ja, det gör jag./Nej, det gör jag inte.

Sverige, en monarki

12 Läs sidan 99 i läroboken. Skriv svar.

1 Vad heter Sveriges kung? _____

2 Vad heter drottningen? _____

3 Hur många barn har kungen och drottningen? _____

4 Vem blir statschef efter kungen? _____

5 Vad heter Madeleines och Victorias bror? _____

6 Vad betyder monarki? _____

_____

Inga problem

13 Vad betyder orden? Dra streck.

1	en granne	titta
2	följa med	inte hemma
3	se	pappas pappa
4	städa	en person som bor bredvid dig
5	en taxichaufför	gå tillsammans med någon
6	borta	köpa
7	handla	göra fint, ta bort smuts
8	farfar	en person som kör taxi

14 Skriv egna meningar med orden i rutan.

> aldrig   alltid   ibland

15 Skriv åtta meningar. Välj ord ur varje ruta.

SUBJEKT	VERB	OBJEKT
jag	känner	mig
min bror	träffar	dig
Hassan	ringer	honom
hon	arbetar med	henne
Ellen och Jonas	pratar med	oss
Klara	lyssnar på	er
ni	ser	dem
vi	tittar på	

Exempel:

Jag ser henne.

16 Skriv meningar. Börja med subjektet.

Exempel:

tittar vi på dig	*Vi tittar på dig.*
förstår honom jag	1 _____
följer med hon mig	2 _____
dem jag talar med	3 _____
han oss frågar	4 _____
till henne de skriver	5 _____

17 Gör två meningar till en. Använd **som**.

Exempel:

Jag har en bror. Han går i skolan.

Jag har en bror som går i skolan.

1 Han har en jacka. Den är ny.

_____

2 Jag pratar med en kompis. Han heter Karl.

_____

_____

3 Vi har en granne. Hon kommer från England.

_____

_____

4 Sverige är ett land. Det ligger i Europa.

_____

_____

18 Skriv meningar med **som**. Du får hjälp med början på meningarna.
Använd din fantasi!

1 Vi har en hund som ...
2 Jag känner en tjej som ...
3 Där sitter en man som ...
4 De bor i ett hus som ...
5 Hon träffar en kille som ...

Familj och släkt

19 a Skriv på ditt språk.

en svärmor	en svåger
en svärson	en svägerska
en svärdotter	en svärfar

b Titta på familjen Åbergs släktträd. Fyll i det som fattas i texten.

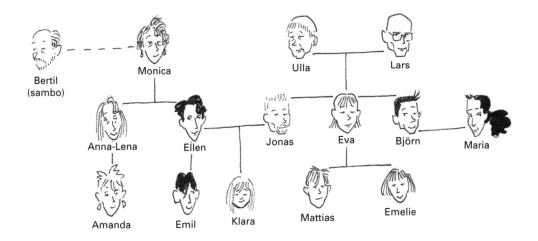

Björn är 42 år. Han är son till _____ och Lars.
₁

Han är gift med _____. Hon är från Spanien och
₂

talar bara spanska. Hennes svärföräldrar kan ingen spanska så de

kan inte tala med henne.

Björn svägerska heter _____. Hon har en son
₃

som heter _____. Tillsammans har Björns bror
₄

och hans fru en dotter som heter _____.
₅

20 a Titta på familjen Johanssons släktträd. Fyll i det som fattas i texterna.

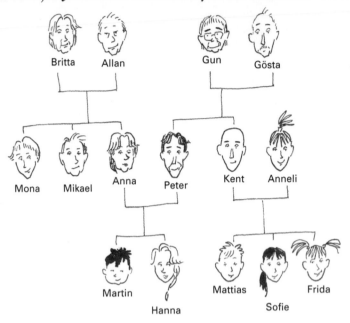

Britta är 65 år. Hon är gift med _____. De har tre barn:

1

två döttrar och en _____. De heter Mona,

2

_____ och Anna. Anna är gift. Brittas svärson heter

3

_____. Anna och hennes man har en son som heter Martin

4

och en _____ som heter Hanna. Hanna och Martin är Brittas

5

och Allans _____.

6

Sofie är 10 år. Hon har en _____ som heter Frida och

7

en bror som heter _____. Hon har två kusiner,

8

_____ och Martin. Deras pappa heter Peter. Han är

9

Sofies _____. Sofies _____ heter Gösta

10   11

och hennes farmor heter _____.

12

b Svara på frågorna.

1 Vad heter Peters pappa? _____

2 Hur många barn har Peter? _____

3 Vad heter Peters svärmor? _____

4 Hur många syskon har Peter? _____

5 Vad heter Peters svåger? _____

c Skriv fem frågor som i **b** om en person i släktträdet.
Låt en kamrat svara på dina frågor.

d Vem är jag? Läs texterna och titta på släktträdet på sidan 78.

1 Jag har en bror.
Min farmor heter Gun.
Jag har en kusin som heter Hanna.
Min syster heter Frida.

Vem är jag? _____

2 Jag har två barn.
Jag har fem barnbarn.
Min fru heter Gun.

Vem är jag? _____

e Gör egna texter som i **d**. Låt en kamrat gissa vem du är.

f Välj en av uppgifterna:

1 Gör ditt eget släktträd. Rita och skriv.
2 Fantisera och gör ett släktträd.

Annika ringer till Lina

21 **a** Läs texten i rutorna.

Så här kan du svara i telefon:
- ditt efternamn (Johansson)
- ditt förnamn och ditt efternamn (Hanna Johansson)
- ditt telefonnummer (23 87 15)
- ditt förnamn (Hanna), vanligt i mobiltelefoner

Så här kan du presentera dig i telefon:
- Hej, det är (Hanna).
- Hej, jag heter (Hanna Johansson).
- Goddag, mitt namn är (Hanna Johansson).

Så här kan du fråga efter en person:
- Är (Hanna) hemma?
- Kan jag få tala med (Hanna)?
- Jag skulle vilja tala med (Hanna Johansson).

Så här kan du avsluta ett samtal:
- Hej då.
- Ja, då säger vi så. Hej då.
- Tack och hej.

b Vad kan man säga i telefon? Sätt kryss.

Vad kan man säga ...

1 ... när det ringer?

◯ Vem är det?   ◯ Hej!   ◯ Johansson.

2 ... när man presenterar sig?

◯ Hej då.   ◯ Hej, det är Peter.   ◯ Vi ses.

3 ... när man frågar efter en person?

◯ Är Hanna hemma?   ◯ Vem är det?   ◯ Hur är det?

4 ... när man avslutar ett samtal?

◯ Ursäkta.   ◯ Hej då. Vi ses.   ◯ Varsågod.

22 **a** Läs dialogerna med en kamrat.

1 **LISA:** Lisa Sylvén.
   ELLEN: Hej, det är Ellen. Stör jag dig?
   LISA: Hej, Ellen. Nej, inte alls.
   ELLEN: Vill du komma över på en kopp kaffe i eftermiddag?
   LISA: Ja, tack, gärna. När då?
   ELLEN: Ska vi säga klockan tre?
   LISA: Det passar bra. Jag kommer.
   ELLEN: Hej då. Välkommen.
   LISA: Hej då.

2 **JONAS:** 14 03 59.
   HANNA: Hej, det är Hanna. Är Emil hemma?
   JONAS: Ja, ett ögonblick, så kommer han.
   HANNA: Tack.
   JONAS *(ropar):*   Emil! Telefon!

3 **MARIE-LOUISE:** Marie-Louise Svensson.
   LISA: Hej, det är Lisa.
   MARIE-LOUISE: Hej, Lisa. Hur är det?
   LISA: Det är bra. Och du?
   MARIE-LOUISE: Jo, tack, det är bra.
   LISA: Vill du gå ut och äta i kväll?
   MARIE-LOUISE: Ja, det låter trevligt.
   LISA: Vi kan gå till Gastronom. Vet du var den ligger?
   MARIE-LOUISE: Ja då. Hur dags ska vi ses?
   LISA: Passar det klockan sju?
   MARIE-LOUISE: Ja, det passar perfekt. Då ses vi där klockan sju.
   LISA: Ja, då säger vi så. Hej då.
   MARIE-LOUISE: Hej, hej.

b Skriv dialoger.

1 Emil ringer till Hanna. Han vill träffa henne.
2 Du ringer till en kamrat. Du vill bjuda honom eller henne på middag.

c Läs dialogerna för kamraterna.

Familjer

23 Titta på bilderna på sidorna 108 och 109 i läroboken. Samtala i gruppen.

    1 Vilka personer ingår i familjerna på bilderna?
       Hur är de släkt med varandra?
    2 Från vilka länder kommer familjerna?
    3 Ser familjerna likadana ut i Sverige och i ditt hemland? Vad är olika?

24 Välj en av familjerna och skriv om den. Använd din fantasi!

Efter kapitel 5

a Vad kan du? Sätt kryss.

Jag kan

◯ börja ett telefonsamtal

◯ avsluta ett telefonsamtal

◯ förstå ett enkelt telefonsamtal

◯ berätta om min familj

b Hur har du arbetat? Sätt kryss.

Jag har arbetat

◯ ensam

◯ i par

◯ i grupp

c Vad behöver du öva mera på? _____

_____

Vad vill de?

1 Läs sidan 110 i läroboken. Skriv svar.

Skriver Lisa brev nästan varje dag? _Nej, det gör hon inte._

1 Älskar Hassan Linda? _____

2 Arbetar Hassan mycket ? _____

3 Har Jocke tre barn? _____

4 Saknar Jocke sina barn? _____

5 Träffar han dem ofta nu? _____

6 Går Klara i skolan? _____

7 Är Emil trött på skolan? _____

2 Bilda ord med bokstäverna i rutorna. Alla orden finns i i texten på sidan 110.
Du får hjälp till höger.

BBJOA	_jobba_	arbeta
STÖH	1 _____	en årstid
ÅSRV	2 _____	inte lätt
NAANNAVR	3 _____	måndag, onsdag, fredag
NKÄD	4 _____	när alla vet vem det är
GELID	5 _____	fri
LASKÄR	6 _____	gillar mycket

3 **a** Titta på bilderna. Vad vill Peter, Anna, Hanna och Martin?
   Samtala i gruppen.

b Vad vill du? Berätta i gruppen.

4 Skriv verben i infinitiv.

PRESENS	INFINITIV	PRESENS	INFINITIV
älskar	_____	läser	_____
skriver	_____	kan	_____
blir	_____	vill	_____
behöver	_____	kommer	_____
studerar	_____	lever	_____

5 Skriv rätt form av verbet, infinitiv eller presens.

1 Han _____ klockan tre. (sluta/slutar)

2 Hon vill _____ mycket pengar. (tjänar/tjäna)

3 Hon ska _____ skolan nästa år. (börjar/börja)

4 Hon _____ inte ensam. (är/vara)

5 Kan du _____? (läser/läsa)

6 Vad brukar du _____ på kvällen? (gör/göra)

7 Han _____ ett brev till en kompis. (skriver/skriva)

8 På måndag _____ jag till klockan fyra. (jobbar/jobba)

9 Får jag _____ här? (sitter/sitta)

10 Han _____ tre barn. (ha/har)

6 Skriv sex meningar. Välj ord ur varje ruta.

jag	vill	skriva	en bok
du	ska	ha	en bil
Martin	måste	vara	frukost
vi	kan	gå	till skolan
hon	behöver	läsa	läxan
		äta	ledig
		åka	hem

Exempel:

Jag måste läsa läxan.

7 Skriv meningar med **inte**.

Exempel:

Ola vill studera, *men Lena vill inte studera.*

1 Hassan kan komma i morgon, men Linda _____

_____

2 Peter ska åka till Malmö i morgon, men Anna _____

_____

3 Familjen Åberg behöver städa, men familjen Johansson _____

_____ i dag.

4 Emil får cykla på vägen, men Klara _____

_____

5 Emil vill äta i skolan, men Hanna _____

_____

8 Fortsätt meningarna. Använd din fantasi!

1 Jag vill aldrig ...

2 Jag brukar inte ...

3 Jag kan inte ...

4 Jag ska alltid ...

5 Jag får inte ...

6 Jag behöver aldrig ...

Emil vill ta körkort

9 Läs sidan 115 i läroboken. Skriv svar.

1 Hur kommer Emil till skolan? _____

2 Får han köra bil? _____

3 Hur gammal måste man vara för att få övningsköra? _____

4 Varför övningskör Emil med Jonas och Ellen ibland? _____

_____

5 Hur gammal måste man vara för att få köra moped? _____

6 Vad drömmer Emil om? _____

_____

7 Varför sparar Emil pengar? _____

_____

10 Vad säger du? Samtala i gruppen.

1 Hur gammal måste man vara för att ta körkort i ditt hemland?

2 Hur ska Emil göra för att spara pengar till en motorcykel? Ge förslag.

11 **a** Lös korsordet. Alla orden i korsordet finns i ordlistan på sidan 115 i läroboken.

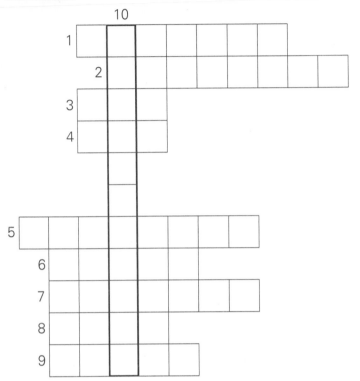

1 Det måste du ha för att få köra bil.

2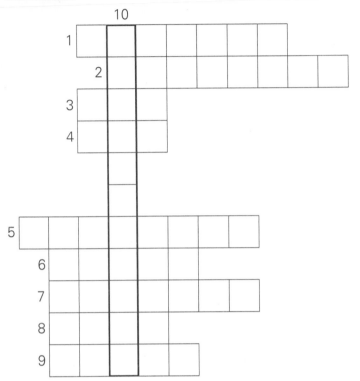

3 inte gammal

4 inte ful

5 Där kan du lära dig köra bil.

6 inte framför

7 När du sover gör du det här.

8 motsats till billigt

9 lägga undan pengar för att använda senare

b Vilket ord blir nummer 10? _____

c Vad betyder det? _____

12 Skriv sex meningar. Välj ord ur varje ruta.

i dag	vill	jag	köra	en bok
nu	ska	han	köpa	bil
varje dag	måste	vi	vara	till skolan
på onsdag	kan	de	gå	läxan
sedan	behöver	Klara	läsa	ensam
på kvällen	får	ni		
		hon		

Exempel:

I dag ska jag köpa en bil.

13 Skriv meningar. Börja med orden som har **fet stil**.

jag inte arbeta ska **i morgon**

1 _____

_____

hon ensam inte vara vill **nu**

2 _____

_____

på lördag jag vill träffa inte dig

3 _____

_____

i telefon kan de inte **nu** svara

4 _____

_____

titta på teve **i kväll** får inte du

5 _____

_____

14 Fortsätt meningarna. Använd din fantasi!

1 I morgon vill jag inte ...

2 På kvällen brukar ...

3 Nästa sommar ska ...

4 Nu kan ...

5 På lördag behöver ...

Vad får du göra?

15 Vad gäller för varje ålder? Dra streck.

(15 år)   Du blir myndig.

Du får övningsköra.

(16 år)   Du får gifta dig.

Du får handla på Systemet.

(18 år)   Du får köra moped.

(20 år)   Du får ta körkort.

16 a Vilka regler gäller för att ta körkort i Sverige? Samtala i gruppen.

b Sök information utanför gruppen, till exempel på biblioteket eller på en bilskola.

c Berätta för varandra vad ni nu vet.

17 Hur är det i ditt hemland? Berätta för gruppen.

1 När blir man myndig?

2 Vad får man göra då man blir myndig?

3 När får man ta körkort?

4 När är man straffbar?

5 Hur gammal ska man vara för att få gifta sig?

Vägmärken

18 Para ihop vägmärke och text. Dra streck.

1   Du får inte köra över sjuttio kilometer i timmen.

2   Här ska man gå.

3   Du får inte svänga till vänster.

4   Det är förbjudet att parkera.

5   Här ska man cykla.

6   Man måste köra till vänster.

7   Man får inte köra över 50 km/h.

8 Du får inte cykla här.

9 Du får parkera här.

Hos barnmorskan

19 Fyll i orden som fattas. Titta i rutan. Välj ord som passar i meningarna.

barnmorska	~~hör~~	försiktig	hjärta	kilo	orkar
mycket	normalt	slår	undersöker	väger	

Exempel:

_Hör_____ du något?

1 Jag _____ 60 kilo.

2 Hur _____ väger du?

3 Du måste vara _____ med maten om du väntar barn.

4 Slår hjärtat som det ska? Är det _____?

5 Hassan väger 75 _____.

6 Alla har ett _____ som slår.

7 Läkaren _____ dig för att se om du är sjuk.

8 Jag är trött nu. Jag _____ inte mer.

9 En _____ hjälper till när ett barn föds.

10 Jag känner att mitt hjärta _____.

20 **a** Samtala i gruppen.

1 Vad bör en kvinna som väntar barn inte äta?
2 Vad bör en kvinna som väntar barn inte dricka?
3 Hur länge får en kvinna vara föräldraledig?
4 Hur länge får en man vara föräldraledig?

b Sök information utanför gruppen, till exempel på försäkringskassan eller hos en barnmorska.

c Berätta för varandra vad ni nu vet.

21 Samtala i gruppen.

1 Hur länge kan mamman vara föräldraledig i ditt hemland?
2 Hur länge kan pappan vara föräldraledig i ditt hemland?
3 Brukar pappan vara med på sjukhuset då barnet föds?

22 Skriv frågor.

gå på bio ska vi ?	1 _____
boken jag får ? låna	2 _____
du cykla kan ?	3 _____
? skriva nu du vill sluta	4 _____
åka måste du ? hem	5 _____
ni tidningen läsa ? brukar	6 _____

23 **a** Skriv frågor till en kamrat. Börja frågorna så här:

1 Kan du ...?   5 Ska ...?
2 Får ...?   6 Vill ...?
3 Måste ...?   7 Behöver ...?
4 Brukar ...?

b Ställ frågorna till din kamrat.

24 Titta på svaren och skriv frågor.

1 Ja, det får du.

2 Ja, det måste ni.

3 Nej, det vill vi inte.

4 Nej, det får man inte.

5 Ja, det kan jag.

25 Skriv frågor.

du var vill sitta ?	1 _____
vart åka ni ? ska	2 _____
handla vad ? behöver vi	3 _____
jag läsa ? varför måste	4 _____
äta vad brukar de till frukost ?	5 _____
när han ska ? börja skolan	6 _____
vill du ? nu sluta varför	7 _____
ska hur ? de komma hit	8 _____

26 a Skriv frågor till en kamrat. Börja frågorna så här:

1	Varför vill ...?	4	Hur vill ...?
2	Var brukar ...?	5	Vad måste ...?
3	När ska ...?	6	Vart ska ...?

b Ställ frågorna till din kamrat.

Kroppen

27 Vad säger de? Skriv rätt kroppsdel. Välj bland orden i rutan.

axeln	benet	foten	huvudet	magen
nacken	ryggen	tummen		

1 Jag har ont i _____ .

2 Jag har ont i _____ .

3 Jag har ont i _____ .

4 Jag har ont i _____ .

5 Jag har ont i _____ .

6 Jag har ont i _____ .

7 Jag har ont i _____ .

8 Jag har ont i _____ .

28 Skriv rätt kroppsdel på raderna. Välj bland orden i rutan.

en haka	en kind	en läpp	en mun	en näsa	en näsborre
en panna	en tand	en tunga	ett öga	ett ögonbryn	ett öra

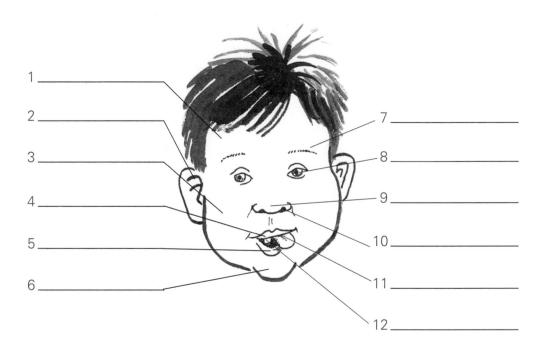

1 _____

2 _____

3 _____

4 _____

5 _____

6 _____

7 _____

8 _____

9 _____

10 _____

11 _____

12 _____

Hur mår du?

29 Samtala i gruppen.

1 Vad gör du när du har ont i huvudet?
2 Vad gör du när du är förkyld?

30 **a** Skriv en dialog där Hanna och Emil pratar med varandra. Ta hjälp av dialogen på sidan 128 i läroboken.

Emil är sjuk och vill gå hem från skolan. Hanna ska säga till läraren.

Börja så här:

HANNA: Hur mår du? Är du sjuk?
EMIL: Jag ...
HANNA: ...

b Spela upp er dialog för gruppen.

c Titta på dialogen på sidan 128 en gång till. Tänk er nu att det är nästa dag och Pedro är sjuk. Han ringer till David. Vad säger de? Skriv samtalet mellan Pedro och David.

Börja så här:

DAVID: Det är David.
PEDRO: Hej, David. Det är Pedro. Jag ...
DAVID: ...

d Spela upp telefonsamtalet för gruppen.

På väg

31 Titta på bilderna på sidorna 130 och131 i läroboken. Samtala i gruppen.

1 Vilka olika färdsätt ser du på bilderna?
2 Vart ska personerna åka, tror du?
3 I vilket land är bilderna tagna?
4 Hur kommer du till skolan?
5 Hur kommer barn till skolan i ditt hemland?
6 Hur kommer vuxna till jobbet i ditt hemland?

32 Titta i tidtabellen och svara på frågorna.

110 Bäckskolan – Stortorget			
Granvägen	Kungsgatan	Stortorget	Bäckskolan
06.30	06.42	06.47	06.57
06.45	06.57	07.02	07.12
07.00	07.12	07.17	07.27
07.15	07.27	07.32	07.42
07.30	07.42	07.47	07.57
08.00	08.12	08.17	08.27
08.30	08.42	08.47	08.57
09.00	09.12	09.17	09.27

1 Du ska åka från Granvägen till Bäckskolan.

Vilket nummer har bussen? _____

2 När går första bussen från Granvägen till Bäckskolan? _____

3 Du åker från Granvägen klockan halv åtta.

När kommer du till Bäckskolan? _____

4 Klockan är kvart över åtta. När går nästa buss från Granvägen? _____

5 Du åker från Granvägen klockan sju. När kommer du till Stortorget? _____

6 Bussen går från Kungsgatan 07.27. När kommer den till Bäckskolan? _____

7 Skolan börjar tio över åtta. Vilken tid måste du senast åka från

Granvägen? _____

8 Du ska träffa en kompis på Stortorget klockan nio.

När måste du senast åka från Kungsgatan? _____

Efter kapitel 6

a Vad kan du? Sätt kryss.

Jag kan

◯ berätta vad jag vill göra i framtiden

◯ säga vad man får göra när man är 18 år

◯ förstå några vägmärken

◯ säga namn på några kroppsdelar

◯ berätta var jag har ont

◯ tala om hur jag mår

b Hur har du arbetat? Sätt kryss.

Jag har arbetat

◯ ensam

◯ i par

◯ i grupp

c Vad var roligt i kapitel 6?

Roligt i läroboken: _____

Roligt i övningsboken: _____

d Om du inte förstår ett ord, vad gör du?

◯ frågar läraren

◯ frågar en kamrat

◯ tittar i ett lexikon

◯ ingenting

Lisa går och handlar

1 Lisa köper sex varor i affären. Vad köper hon?

mjölk _____   _____

_____   _____

_____   _____

2 **a** I en mataffär finns mat i olika förpackningar. Lisa köper 1 liter mjölk.
Mjölken finns i ett paket.
Vad kan finnas i förpackningarna? Dra streck. Flera kan passa ihop.

1	en flaska	öl
2	ett paket	ägg
3	en burk	tändstickor
4	en påse	tandkräm
5	en tub	godis
6	en back	sylt
7	en ask	mjölk
8	en kartong	mjöl

b Jämför med kamraterna. Har ni skrivit olika? Förklara för varandra.

3 **a** Maten i en mataffär finns på olika avdelningar. Titta i texten på sidorna 132 och 133. Var hittar Lisa sina varor? Skriv varorna under rätt rubrik.

FRUKT, GRÖNSAKER   MEJERIVAROR,   KÖTT
                          OST, ÄGG

_____   _____   _____

_____   _____   _____

_____   _____   _____

_____   _____   _____

_____   _____   _____

_____   _____   _____

ÖL OCH VATTEN   MJÖL, GRYN

_____   _____

_____   _____

_____   _____

_____   _____

_____   _____

b Här är fler varor. Skriv dem under rätt rubrik.

| Coca-Cola | grädde | korv | läsk | lättöl | melon |
| mineralvatten | potatis | ris | salt | skinka | vetemjöl |

c Det finns rader kvar under rubrikerna. Kan du fylla på med fler varor?

d Jämför med dina kamrater. Har ni skrivit olika? Förklara för varandra.

4 Para ihop fråga och svar. Dra streck.

1 Hur länge ska du vara ledig?   Klockan tre.

2 Hur långt är det till affären?   I två veckor.

3 Hur dags slutar du?   Den är fem år.

4 Hur ofta går du till affären?   En kilometer.

5 Hur gammal är bilen?   Varje dag.

5 **a** Skriv svar.

1 Hur mår du?
2 Hur långt är det från skolan till busshållplatsen?
3 Hur dags börjar du skolan?
4 Hur många barn har du?
5 Hur ofta handlar du?
6 Hur länge sover du?

b Skriv nu andra frågor till en kamrat. Börja med de här orden:

Hur ... ?	Hur långt ... ?
Hur många ... ?	Hur dags ... ?
Hur mycket ... ?	Hur ofta ... ?
Hur länge ... ?	Hur gammal ... ?

c Ställ frågorna till kamraten som svarar.

Med eller utan?

6 **a** Para ihop meningarna till korta dialoger. Dra streck.

1 Varsågoda!

2 Oh, vilken god kaka!

3 Kan du räcka mig sockret?

4 Var snäll och skicka
mig mjölken!

5 Vill du ha mjölk i kaffet?

6 Får jag röka här inne?

7 Vill du ha lite mer kaffe?

a Nej, tack. Jag tar bara socker.

b Tycker du? Vad roligt. Det är
första gången jag bakar den.

c Nej, helst inte. Du kan röka
på balkongen.

d Tack. Oh, vad det ser gott ut.

e Ja, ett ögonblick. Här kommer
mjölken.

f Bara en halv kopp, tack.

g Javisst. Varsågod.

b Läs dialogerna i **a**.

7 **a** Läs dialogerna.

1

ANDERS:	Dricker du kaffe?
LOTTA:	Ja.
ANDERS:	Det gör jag också.

2

MIA:	Dricker du öl?
YLVA:	Nej.
MIA:	Inte jag heller.

b Vad äter du? Vad dricker du? Fråga och svara om orden i rutan.

| glass | godis | fisk | kaffe | kyckling |
| läsk | mjölk | te | vin | öl |

Frukt och grönsaker

8 **a** Skriv orden under rätt rubrik.

ananas	~~banan~~	biff	bulle	citron	kex	knäckebröd
korv	kräftor	köttfärs	lax	limpa	lök	paprika
räkor	sallat	sill	skinka	tomat	vindruvor	

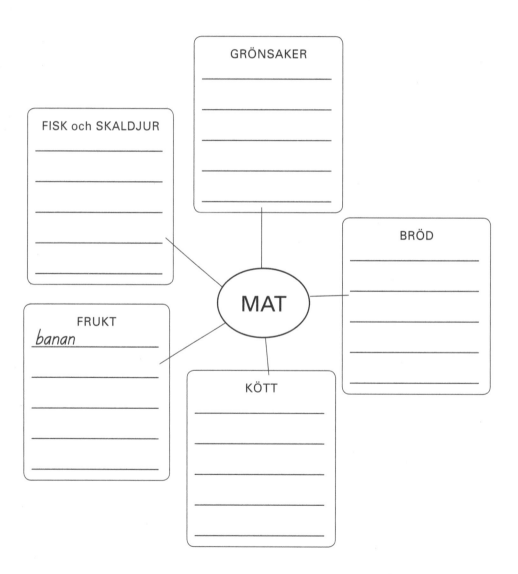

GRÖNSAKER

FISK och SKALDJUR

MAT

BRÖD

FRUKT
banan

KÖTT

b Kan du fler ord som passar under rubrikerna? Skriv dem.

Emil och Klara bråkar

9 Välj rätt ord.

väl
kvar
absolut

1 Det är bara en sida _____ i boken.

egentligen
kvar
väl

2 Snälla pappa, du kan _____ läsa
för mig?

absolut
i fred
egentligen

3 Du tycker inte om glass och inte om godis.

Vad tycker du om _____?

absolut
väl
härifrån

4 Det är viktigt att du kommer. Du måste

_____ komma.

10 a Skriv på ditt språk.

De spelar kort.
Han spelar piano.
De spelar fotboll.
Pojken leker med en kamrat.

b Leker eller spelar? Skriv rätt verb i meningarna.

1 De _____ basket.

2 Hon _____ med bilar.

3 Han _____ gitarr.

4 Kan du _____ tennis?

5 Martin och Klara _____ tillsammans på gården.

11 **a** Fråga och svara varandra.

Exempel:

Vill du spela kort?
Ja, det vill jag./Nej, det vill jag inte.

Vill du ha kaffe?
Ja, det vill jag./Nej, det vill jag inte.

1 hjälp	6 lunch
2 hjälpa mig	7 en ny telefon
3 mjölk i teet	8 jobba
4 gå hem	9 äta middag med mig
5 ett arbete	10 sluta skolan

b Skriv sex andra frågor till en kamrat med **vill** och **vill ha**.
Glöm inte frågetecken!

c Ställ frågorna till en kamrat.

12

Skriv en dialog mellan Hanna och Martin. Ta hjälp av dialogen
på sidan 138 i läroboken. Använd orden i rutan.

glass	härifrån	i fred	leka	Lägg av!
läsa	spela	en tidning	vill	vill ha

Börja så här:

MARTIN: Vill du ...?
HANNA: Nej, jag ...
MARTIN: ...

Karin tycker inte om Jocke

13 Rätt eller fel? Läs texten på sidan 140 i läroboken. Skriv R (rätt) eller F (fel).

1 Jocke arbetar dagtid den här veckan. ___

2 Jocke är ledsen i dag. ___

3 Jocke gillar att köra taxi på natten. ___

4 Karin är Jockes arbetskamrat. ___

5 Jocke ska jobba en timme till. ___

6 Karin gillar inte kakor. ___

7 Karin älskar pizza. ___

14 Fråga och svara varandra.

Exempel:
Tycker du om godis?
Ja, det gör jag./Nej, det gör jag inte.

Tycker du om att åka tåg?
Ja, det gör jag./Nej, det gör jag inte.

1 kaffe   5 musik
2 glass   6 lyssna på musik
3 öl   7 laga mat
4 promenera   8 fotboll

15 Samtala i gruppen.

1 Jocke frågar Karin: Vad tycker du om då?".
   Varför svarar inte Karin, tror du?
2 Jocke säger: "Jag förstår." Vad är det han förstår?

På kafé

16 Para ihop ord och bild. Dra streck.

1   en kaka

2   en bulle

3   en tårta

4   en bakelse

5   en paj

6   en smörgås

7   ett kex

8   en glass

9   en kopp kaffe

10 en läsk

17 Arbeta i par. Ni är på kafé. Gör dialoger. En är kund, en är expedit.
Välj från listan vad ni vill äta och dricka.

Bulle	12 kr	Kaffe	20 kr
Kaka	14 kr	Cappuccino	26 kr
Tårtbit	25 kr	Caffe Latte	26 kr
Bakelse	25 kr	Te	20 kr
Äppelpaj med vaniljsås	25 kr	Juice	18 kr
Ostsmörgås	20 kr	Läsk och lättöl	15 kr

Jonas arbetar

18 Läs texten på sidorna 146 och 147 i läroboken. Kryssa för rätt alternativ.

1 Stella …

☐ äger ett kafé. ☐ är målare. ☐ kan fixa golvet.

2 Jonas …

☐ äger Kafé Stella. ☐ ska renovera kaféet. ☐ kan fixa golvet.

3 Stella …

☐ ska låna bord och stolar. ☐ ska köpa nya bord och stolar. ☐ ska måla kaféet själv.

4 Stella …

☐ ska ha vita lampor. ☐ ska ha vitt tak. ☐ ska ha röda stolar.

5 Jonas …

☐ ska gå till banken. ☐ ska komma tillbaka till kaféet i morgon. ☐ ska låna pengar.

19 Hur ska Kafé Stella se ut? Skriv vad Stella vill ha och vad hon ska köpa. Använd orden i rutan. Tänk på att böja adjektiven (**gul, gult, gula**).

blå	grön	gul	ny	röd	rund	svart

1 Hon vill ha _____ väggar.

2 Hon vill ha ett _____ tak.

3 Stella måste ha ett _____ golv.

4 Hon har ett _____ skåp.

5 Hon ska ha _____, _____,

_____ och _____ lampor.

6 Hon ska köpa _____, _____ bord

och _____ stolar.

I mataffären

20 Läs sidan 149 i läroboken. Skriv svar.

1 Vad betyder jämförpris?

_____

2 Vad kan du läsa i en innehållsdeklaration?

_____

3 En vara har de här ingredienserna: vetemjöl, vatten, jäst, rapsolja, socker, salt, ägg. Vilken vara är det, tror du?

_____

4 Vad betyder bäst-före-datum?

_____

5 På en vara står Bäst före **080603**.

   a Vad betyder 08? _____

   b Vad betyder 06? _____

   c Vad betyder 03? _____

21 Samtala i gruppen.

1 Hur ofta brukar du handla?
2 I vilken affär brukar du handla?
3 Brukar du gå till olika affärer? Varför?
4 Brukar du titta på jämförpriset?
5 Läser du innehållsdeklarationen innan du köper en ny vara?
6 Äter du mat efter bäst-före-datumet?

22 Anna går och handlar. Titta på kvittot och svara på frågorna.

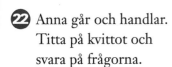

Matmax
Kungsgatan 55   Tel. 0111-101410

Artikel	Kr/kg st	Kronor
Tomater	0,844kg x 29,90	25,23
Kyckling fryst	1,721kg x 19,90	34,24
Mellanmjölk	2 st x 7,35	14,70
Ägg 6-pack		14,50
Äpple	0,589 kg x 16,90	9,95
Papperskasse		2,00
Total		162,70
Kontant		200,00
Tillbaka		37,30

Spara kvittot!
Du betjänades av: Erik
Datum 2006-08-10
Tid 15:35

Tack för besöket och välkommen åter!

1   I vilken affär handlar Anna? _____

2   När handlar hon? _____

3   Hur mycket mjölk köper hon? _____

4   Vad kostar äpplena per kilo? _____

5   Vad kostar kycklingen? _____

6   Hur många ägg är det i kartongen? _____

7   Vad kostar allt Anna köper? _____

23 Samtala i gruppen.

1   Varför ska man spara kvittot?
2   Vad får du också information om på kvittot?

24 **a** Vad kostar maten i Sverige? Samtala i gruppen.

    1   Hur mycket kostar 1 liter mjölk?

    2   Hur mycket kostar 1 kg ris?

    3   Hur mycket kostar 1 kg bananer?

    4   Hur mycket kostar 1 kg potatis?

    5   Hur mycket kostar 1 kg kyckling?

    6   Hur mycket kostar 1 kg apelsiner?

b   Vad kostar maten i ditt hemland? Ställ frågorna i **a** till dina kamrater.
Fyll i listan.

LAND →					
VARA					
1 liter mjölk					
1 kg ris					
1 kg bananer					
1 kg potatis					
1 kg kyckling					
1 kg apelsiner					

c   Samtala i gruppen. Titta i tabellen. Var är maten billig?
Var är den dyr?

Jocke ska börja ett nytt liv

25 Bilda ord med bokstäverna i rutorna. Skriv dem i meningarna.
Alla orden finns på sidan 150 i läroboken.

| VTATTÄ | Du måste ___*tvätta*___ dina smutsiga kläder. |

MYG

1 Du kan gå till ett _____ om du vill träna.

RÄNTAR

2 Jag _____ två gånger i veckan.

RUSK

3 Han ska gå på _____ i spanska.

SLÄJV

4 Du behöver inte hjälpa mig. Jag gör det _____.

NALPERA

5 Du måste _____ dina studier.

RAHY

6 Vi kan väl _____ en film?

26 Samtala i gruppen.

1 Jocke vill ha ett nytt jobb. Vad tror du Jocke vill ha för jobb?
2 Varför tänker Jocke lära sig bra engelska?
3 I vilka jobb behöver man kunna bra engelska?
4 Har du planer på att ändra ditt liv?

27 Titta på bilderna och skriv om Jockes nya liv.

Handla mat

28 Titta på bilderna på sidorna 152 och 153 i läroboken. Samtala i gruppen.

1 Var är personerna?
2 Vad köper de?
3 Jämför med ditt hemland. Ser det likadant ut? Vad är olika?
4 Var brukar du handla mat?

29 Välj en av bilderna och skriv om den. Använd din fantasi!

Efter kapitel 7

a Vad kan du? Sätt kryss.

Jag kan

◯ säga namnet på några varor i mataffären

◯ säga namnet på några frukter och grönsaker

◯ berätta vad jag tänker göra nästa vecka

◯ säga vad jag vill göra

◯ säga vad jag vill ha

◯ säga vad jag tycker om

◯ säga vad jag tycker om att göra

◯ beställa på kafé

b Var talar du svenska?

◯ i skolan

◯ hemma

◯ i affären

◯ på stan

Ett meddelande till Emil

1 **a** Vilka ord förklaras här? Dra streck mellan förklaring och ord.

1 Där kan du lägga glass.   en lista

2 Du använder den när du tvättar.   en frys

3 I den kan du värma mat.   ett meddelande

4 Du skriver det för att komma ihåg   en mikro
  vad du ska göra.
                                              en tvättmaskin

5 Du skriver det till någon.

b Skriv egna förklaringar till orden.

| ett bord | en gurka | ett kök | en middag | en mormor | en potatis |

c Arbeta i par. Läs upp era förklaringar för varandra.
Gissa vilka orden är.

2 Skriv verben i imperativ. Glöm inte stor bokstav!

1 (jobbar)   _____ inte så mycket!

2 (har)   _____ det så bra!

3 (gör)   _____ något roligt!

4 (lyssnar)   _____ på mig!

5 (stänger)   _____ inte dörren!

6 (stannar)   _____ här!

3 Emil och Klara är ensamma hemma. Ellen har bett Emil att sköta tvätten. Hon har skrivit ett meddelande till honom. Men Klara hittar en sax och klipper sönder det.

Hjälp Emil att sätta meningarna i rätt ordning genom att numrera texterna.

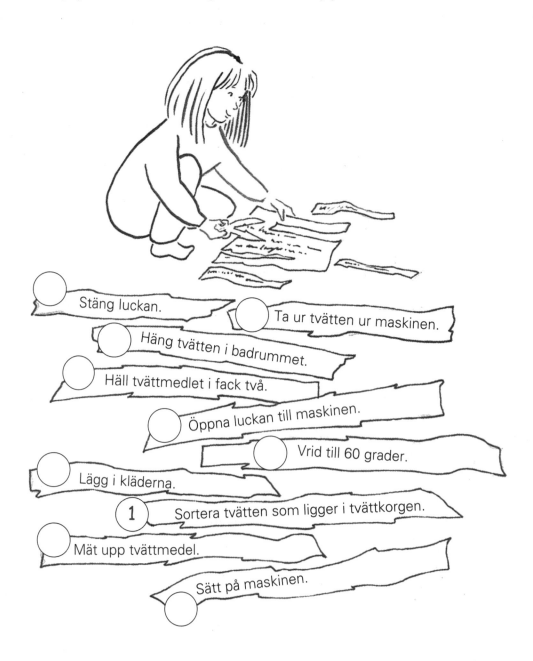

Stäng luckan.

Ta ur tvätten ur maskinen.

Häng tvätten i badrummet.

Häll tvättmedlet i fack två.

Öppna luckan till maskinen.

Vrid till 60 grader.

Lägg i kläderna.

1 Sortera tvätten som ligger i tvättkorgen.

Mät upp tvättmedel.

Sätt på maskinen.

4 Skriv verben i presens.

IMPERATIV	PRESENS		IMPERATIV	PRESENS
gå	_____		åk	_____
var	_____		skratta	_____
ring	_____		bo	_____
studera	_____		fråga	_____

5 Gå tillbaka till sidan 118 i läroboken. Vad betyder vägmärkena?
Använd imperativ.

Cykla inte här! _____

1 _____

2 _____

3 _____

4 _____

5 _____

6 _____

6 **a** Para ihop till korta dialoger. Dra streck.

1 Var snäll och förklara för mig!

a Javisst. Vad vill du ha hjälp med?

2 Tala långsammare, är du snäll!

b Oh, förlåt. Jag talar alltid för fort.

3 Vill du vara snäll och öppna
dörren åt mig?

c Ja, varsågod och stig in!

d Javisst. Jag ska förklara.

4 Kan du hjälpa mig?

e Ja. Var står den?

5 Skulle du kunna ta fram mjölken?

b Arbeta i par. Läs dialogerna.

7 Du ska åka på semester en vecka. Din granne ska se till din bostad
under tiden. Du behöver hjälp med:

• blommorna som behöver vatten
• fiskarna som behöver mat
• posten som kommer i brevlådan

Skriv ett meddelande till grannen.

Emil har lagat middag

8 Vilka ord passar i meningarna? Titta i texten på sidorna 158 och 159
i läroboken.

1 Vi måste gå nu. Är du _____?

2 Hanna är _____ hemma.

3 Han _____ på teven.

4 Maten är kall. Vi måste _____ den.

5 Jag fryser. Det är _____ kallt här.

6 Vad har du _____ i dag?

7 Emil tycker att Hanna är _____.

8 Hon har _____ bordet.

9 **a** Fyll i verb i supinum. Ibland kan olika verb passa.

1 Jag har _____ en trevlig kille.

2 Jag har redan _____ tvätten.

3 Hur länge har du _____ i Sverige?

4 Han har inte _____ henne.

5 Varför har du _____ fönstret?

6 De har _____ till Stockholm.

7 Nu har de _____ en ny bil.

8 Vad har du _____ i dag?

b Jämför med dina kamrater. Diskutera olika förslag.

Tjejsnack

10 Läs texten på sidorna 162 och163 i läroboken. Skriv svar.

1 Varför bjuder Tove Hanna på festen?

_____

2 Varför vill Arvid att Hanna ska komma?

_____

3 Varför vill inte Hanna komma på festen?

_____

4 Varför ska Tove ha fest?

_____

5 Varför frågar Hanna om Emil ska komma?

_____

6 Hur ser Emil ut?

_____

_____

7 Hurdan är han?

_____

_____

11 **a** Anna fyller 40 år. Hon ska ha fest. Hon skriver en inbjudan
och mejlar den till släktingar och vänner.
Läs Annas inbjudan.

Hej!

Snart fyller jag 40. Lördagen den 17 november klockan 19.00
blir det födelsedagsfest i samlingslokalen i vårt hus på Granvägen 5.
Jag hoppas du kommer.

Hjärtligt välkommen!
Anna Johansson

Mejla svar senast den 10 november.

b Arbeta i par. Fråga och svara.

1 Hur mycket fyller Anna?
2 När ska hon fira sin födelsedag?
3 Var ska hon ha festen?
4 När vill hon ha svar om gästerna kan komma?

c Skriv en inbjudan till en fest till dina släktingar och vänner.
Välj vad du firar. Här är några förslag:

• Du fyller år.
• Du har slutat skolan.
• Du ska flytta.
• Du har tagit körkort.
• Du har fått nytt jobb.

Hur ser han ut? Hurdan är han?

12 Här är ord som du kan använda när du vill beskriva en person. Läs orden.

ÅLDER	LÄNGD	VIKT
ung	lång	smal
omkring 25	kort	tjock
medelålders	av medellängd	kraftig
gammal	omkring 170 cm lång	mager

UTSEENDE	ANSIKTE	HÅR
söt	runt	långt
snygg	fyrkantigt	kort
vacker	ovalt	lockigt
ful	smalt	rakt
		mörkt
ANDRA KÄNNETECKEN		brunt
ett skägg		grått
en mustasch		ljust
glasögon		
fräknar		

b Hur ser du ut? Beskriv dig själv.

13 a Beskriv en kamrat. Skriv inte kamratens namn.

Han är lång. Han har kort, mörkt hår. Han ...

b Läs din beskrivning och låt gruppen gissa vem du beskriver.

Skolan i Sverige

14 Läs texten på sidan 167 i läroboken. Skriv svar.

1 Hur gammal är man när man börjar grundskolan i Sverige? _____

2 Hur länge går man i grundskolan? _____

3 Efter grundskolan går nästan alla på gymnasiet. Hur många år

går man på gymnasiet? _____

4 Man kan studera till olika yrken på gymnasiet. Ge exempel.

_____

5 Vad kostar det att gå i skolan i Sverige? _____

15 Hur är skolan i ditt hemland? Samtala i gruppen.

1 Måste alla barn gå i skolan? Hur länge?
2 Kostar det något att gå i skolan?
3 Hur gamla är barnen när de börjar skolan?
4 Hur gamla är barnen när de slutar i grundskolan?
5 Hur många år går man i gymnasiet?

Jan ringer till skolan

16 **a** Linda Lundin ringer till skolan. Vad säger hon?

HELEN: Komvux. Helen Lilja.

LINDA: _____

HELEN: Hon är på lunch nu. Är det något jag kan hjälpa till med?

LINDA: _____

HELEN: Då måste du tala med henne själv. Ska jag be henne ringa dig?

LINDA: _____

_____

HELEN: Vad har du för telefonnummer?

LINDA: _____

HELEN: Då ska jag be henne ringa dig. Kan du säga ditt namn igen?

LINDA: _____

HELEN: Tack ska du ha.

LINDA: _____

HELEN: Hej då.

b Skriv egna dialoger. Titta på sidorna 168 och 169 i läroboken.

1 En elev ringer till skolans personalrum och vill tala med sin lärare.
   En annan lärare svarar och meddelar att läraren har lektion just nu.
2 Eleven ringer igen senare. Nu kan eleven få tala med sin lärare.
3 Läraren och eleven samtalar om varför eleven inte var i skolan i dag.

c Läs nu era dialoger för gruppen.

I skolan

17 **a** Skriv på ditt språk.

en termin	en rektor
ett läsår	en skolsköterska
en skolstart	en kurator
en skolavslutning	ett betyg
ett lov	en examen
ett utvecklingssamtal	

b Fyll i ord i meningarna. Alla orden finns i **a**.

1 Ett _____ har två terminer.

2 Varje år kallas eleven till _____ med sin lärare.

3 En _____ kan hjälpa dig om du blir sjuk i skolan.

4 I mitten av augusti är det _____.

5 I juni är det _____.

6 En _____ hjälper elever som har problem och
behöver prata med någon.

7 I slutet av grundskolan får eleverna _____.

18 Titta på bilderna på sidorna 170 och 171 i läroboken.
Jämför med skolor i ditt hemland. Ser det likadant ut? Vad är olika?
Samtala i gruppen.

19 Välj en av bilderna och skriv om den.

20 Berätta om din skola.

Hur ser den ut?
Hur många elever finns det?
Vad finns det i skolan? Matsal? Kafeteria? Bibliotek?

Efter kapitel 8

a Vad kan du? Sätt kryss.

Jag kan

◯ förstå ett kort meddelande

◯ skriva ett kort meddelande

◯ berätta vad jag har gjort i dag

◯ beskriva en person

◯ berätta om skolan i Sverige och i mitt hemland

◯ ringa till skolan och tala med min lärare

b Vad var lätt och svårt i kapitel 8?

Lätt i läroboken: _____

Lätt i övningsboken: _____

Svårt i läroboken: _____

Svårt i övningsboken: _____

c Var hör du svenska?

◯ i skolan

◯ hemma

◯ på radio

◯ på teve

◯ hemma

Hassan är nervös

1 Läs texten på sidorna 172 och 173 i läroboken. Skriv svar.

1 Vad är det för årstid?

_____

2 Varför är Hassan nervös?

_____

3 Varför ringde Linda till Hassan för en halvtimme sedan?

_____

4 Varför vill Linda inte köpa hus?

_____

5 Vad gjorde Hassan i går, när han var arg?

_____

6 Vad ska barnet heta?

_____

2 Samtala i gruppen.

1 Tror du att Hassan och Linda får en pojke eller en flicka?
   Varför tror du det?
2 I Sverige brukar pappan vara med när barnet föds.
   Hur är det i ditt hemland?
3 Vem bestämmer namnet på barnet i ditt hemland?

3 Vilka ord passar i meningarna? Alla orden finns i ordlistan på sidan 173.

1   Jag kom till Sverige för två år _____.

2   Om du vill läsa på universitetet , kan du få _____.

3   Jag förstår inte. Kan du _____ för mig?

4   Jag hade ont i huvudet i går och jag har _____ ont.

5   Jag har en _____ som jag måste betala tillbaka.

6   Nu är det bråttom. Vi måste _____ oss.

7   Jag åt inte frukost _____ så jag är väldigt hungrig nu.

8   I dag är det tisdag. _____ var det söndag.

9   Vi kan äta nu. Maten är _____.

4 a   Läs texterna.

1   Hassan vill köpa en villa. Han tycker om att arbeta i trädgården och vill
gärna odla egna grönsaker.

2   Linda vill också ha ett hus, men hon vill inte ta lån just nu. Visst skulle
det vara skönt att kunna sitta ute i trädgården med babyn.

3   Jocke har nyss flyttat till Granvägen 4. Det gjorde han när han skilde
sig. Men han tycker att lägenheten är lite för liten. När barnen kommer
måste han sova på soffan. Han skulle behöva ett rum till.

4   Hanna drömmer om att flytta hemifrån. Hon vill ha en egen lägenhet.
Hon är trött på Martin, som bara tjatar hela tiden. Efter gymnasiet vill
hon läsa på universitetet. Då behöver hon kunna studera i lugn och ro.
Hon kommer inte att kunna ha någon stor lägenhet, men det gör inget,
bara hon kommer hemifrån.

5   Anna och Peter trivs bra i sin lägenhet på Granvägen 5, men de skulle
gärna vilja bo på bottenvåningen och ha uteplats. Det skulle Hugo också
tycka om.

b Läs annonserna.

FASTIGHETER

Säljes   *Uthyres*

Litet hus, 98 kvm,
nyrenoverat kök och
badrum
Pris: 590 000 kr
eller högstbjudande.
Telefon: 0111- ▮▮▮▮▮

Villa i lugnt bostadsområde,
5 r o k, 120 kvm, bra skick,
stor tomt Pris: 840 000 kr
Telefon: 0111- ▮▮▮▮▮

Radhus på landet, 3 r o k,
uteplats, garage.
Hyra: 5 400 kr/mån
Telefon: 0111- ▮▮▮▮▮

LÄGENHETER

Säljes   *Uthyres*

4 r o k i markplan, uteplats i
söder, kabel-tv, garage
Pris: 180 000 kr
Månadsavgift: 4 800 kr/mån
Telefon: 0111- ▮▮▮▮▮

3 r o k, balkong, hiss, 5 vån,
100 000 kr eller högstbjudande
Telefon: 0111- ▮▮▮▮▮

1:a i centrum, balkong
Hyra: 2 800 kr/mån
Telefon: 0111- ▮▮▮▮▮

Central tvåa, 54 kvm,
uthyres i andra hand,
3 500 kr/mån, Krav: rökfri
Telefon: 0111- ▮▮▮▮▮

r o k = rum och kök, kvm = kvadratmeter, kr/mån = kronor i månaden
vån = våning (5 vån = på femte våningen)

c Samtala i gruppen. Vilken av bostäderna i **b** passar personerna i **a**?

5 **a** När du flyttar måste du anmäla adressändring. Det kan du göra på Internet. Du kan skicka flyttkort till dina vänner.

Läs flyttkortet som familjen Johansson skickade till sina vänner när de flyttade till Granvägen 5.

Datum

Jag/Vi har ny postadress fr o m _____I maj____
Kundnr/Medlemsnr

B

Skickas
portofritt
inom
Sverige
vid flyttning

Namn
Familjen Johansson
Gata, nr, uppg, tr, lägenhetsnr, c/o, box etc
Granvägen 5

Till

Postnummer och postort
567 10 Småstad

Lars Svensson

Telefon
_0111-23 87 15_

Vallavägen 353

Gamla postadressen
Vädergatan 18

907 37 Storstad

580 03 Småköping

Hälsningar

Anna, Peter, Hanna och Martin

b Den 26 juni flyttade Jocke Palmgren till sin nya lägenhet på Granvägen 4. Tidigare bodde han på Solvägen 2, 567 89 Småstad. Hans telefonnummer är 0111–11 12 13. Fyll i Jockes flyttkort.

Datum

Jag/Vi har ny postadress fr o m _____
Kundnr/Medlemsnr

B

Skickas
portofritt
inom
Sverige
vid flyttning

Namn

Gata, nr, uppg, tr, lägenhetsnr, c/o, box etc

Till

Postnummer och postort

Telefon

Gamla postadressen

Hälsningar

6 **a** Skriv verben i preteritum.

IMPERATIV	PRETERITUM	IMPERATIV	PRETERITUM
prata	_pratade_	ring	_ringde_
krama	_____	stäng	_____
cykla	_____	häng	_____
skratta	_____	följ	_____
öppna	_____	glöm	_____
förklara	_____	dröm	_____
		fyll	_____

IMPERATIV	PRETERITUM	IMPERATIV	PRETERITUM
åk	_åkte_	må	_mådde_
köp	_____	tro	_____
kyss	_____	bo	_____
försök	_____		
läs	_____		
hjälp	_____		
möt	_____		

b Skriv verben preteritum.

IMPERATIV   PRETERITUM

bli   _____

ha   _____

gå   _____

gör   _____

säg   _____

sov   _____

var   _____

c Fyll i verb i preteritum. Använd verben i **a** och **b**. Flera verb kan passa.

1   I går _____ jag inte bra.

2   Han _____ med henne i morse.

3   Varför _____ du inte dörren?

4   De _____ inte varandra innan de gick till jobbet.

5   Jag _____ att han var sjuk.

6   Hon _____ ny bil förra veckan.

7   _____ du till jobbet i går?

8   Vad _____ du i förrgår?

7 Arbeta i par. Fråga och svara varandra.

1 Vad gjorde du i går?

2 Vad gjorde du i morse?

3 Vad gjorde du i söndags?

4 Vad gjorde du för fem månader sedan?

5 Vilken dag var det i förrgår?

6 Hur mycket var klockan för fyra timmar sedan?

7 Vad var det för dag för tre dagar sedan?

8 Vad var det för månad för fem månader sedan?

9 Hur gammal var du för två år sedan?

10 När var det lördag?

11 När började du studera svenska?

Det blev en pojke!

8 Läs texten på sidan 177 i läroboken. Skriv svar.

1 När fick Linda barn? _____

2 När kom Linda och barnet hem? _____

_____

3 När ska Ellen titta på barnet? _____

4 Varför kan de inte hälsa på Linda nu? _____

_____

_____

5 Vad heter barnet? _____

6 Har Lisa barn? _____

7 Hur många barnbarn har Lisa? _____

_____

8 Varför har hon inte träffat dem på länge?

_____

_____

9 Vad hände med Olas pappa?

_____

9 Fyll i verb i preteritum eller perfekt.

1 Jag _____ honom för en månad sedan. (träffa)

2 Han _____ henne många gånger den här veckan. (ring)

3 Vad _____ du förra veckan? (gör)

4 De _____ på bio i söndags kväll. (var)

5 Hon _____ mycket den här månaden. (arbeta)

6 Varför _____ du inte på mig i går? (vänta)

7 Han _____ hela boken nu. (läs)

8 Jag _____ du skulle komma hem till mig i går. (tro)

9 I söndags _____ jag ingenting särskilt. (gör)

10 Förra året _____ jag på semester till Italien. (åk)

11 Jag _____ sjuk tre gånger i år. (var)

12 Han _____ på fotboll på teve hela den här veckan. (titta)

13 Han _____ taxi hem i går kväll. (ta)

Klara ramlar

10 Rätt eller fel? Läs texten på sidan 182 i läroboken. Skriv R (rätt) eller F (fel).

1 Det är sommar.   ____

2 Klara har varma kläder på sig, när hon leker i snön.   ____

3 Barnen tar på sig alla kläder, när de kommer in.   ____

4 Klara får klättra upp på stenen.   ____

5 Klara ramlar ner från stenen eftersom den är hal.   ____

6 Klara slår huvudet i stenen.   ____

7 Klara börjar skrika, när hon ramlar.   ____

8 Klara får inte ont, när hon ramlar.   ____

9 Dagispersonalen ringer till Ellen.   ____

10 Klara och Ellen åker till sjukhuset.   ____

11 Skriv klart meningarna.

1 Jag går inte till skolan därför att ...
2 Jag stannar hemma hela dagen eftersom ...
3 Jag tar en kaka till fastän ...
4 Jag går ut trots att ...
5 Jag brukar läsa tidningen innan ...
6 Jag stannar hemma när ...
7 Jag ska gå på bio om ...

12 **a** Klara och Ellen är hos läkaren. Vad säger Klara?

LÄKAREN: Jaha, vad heter du då?

KLARA: _____

LÄKAREN: Vad har hänt med dig då?

KLARA: _____

LÄKAREN: Oj då. Gjorde det mycket ont?

KLARA: _____

LÄKAREN: Har du ont i huvudet nu?

KLARA: _____

LÄKAREN: Nu måste jag tvätta såret och titta lite närmare på det.
Får jag göra det?

KLARA: _____

LÄKAREN: Vad bra. Jag måste tejpa ihop såret. Det kommer inte
att göra ont. Du ska få bedövning.

KLARA: Mm.

b Läs nu dialogen.

13 **a** Klara och Ellen går hem till Linda och Viktor. Klara vill veta
allt om Viktor. Skriv en dialog mellan Klara och Linda.
Här får ni några ord till hjälp:

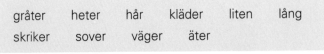

gråter   heter   hår   kläder   liten   lång
skriker   sover   väger   äter

b Spela upp dialogen för gruppen.

För hundra år sedan

14 Läs texten på sidan 185 i läroboken. Kryssa för rätt alternativ.

1 Hur många människor bodde i Sverige i början av 1900-talet?

◯ 1 miljon　　　　◯ dubbelt så många　　◯ 5 miljoner
　　　　　　　　　　som nu

2 Hur många invånare har Sverige nu?

◯ ungefär 5 miljoner　◯ ungefär 9 miljoner　　◯ ungefär 19 miljoner

3 Var bor de flesta människorna nu?

◯ i städer　　　　◯ på landet　　　　◯ i byar

4 Hur många svenskar flyttade till Amerika i slutet av 1800-talet
och början av 1900-talet?

◯ 1900　　　　　◯ 5 miljoner　　　　◯ 1 miljon

5 Varför flyttade så många svenskar till Amerika?

◯ De ville börja　　◯ De ville bo på landet.　◯ De ville bo i städer.
　ett nytt liv där.

15 Rätt eller fel? Titta på diagrammet på sidan 185 i läroboken.
Skriv R (rätt) eller F (fel).

1 För femtio år sedan hade Sverige 5 miljoner invånare.　＿＿

2 År 1900 hade Sverige 1 miljon invånare.　＿＿

3 Nu har Sverige 9 miljoner invånare.　＿＿

4 För åttio år sedan hade Sverige 4 miljoner invånare.　＿＿

5 År 1960 hade Sverige 7 miljoner invånare.　＿＿

16 Samtala i gruppen.

1 Hur många människor bodde i ditt hemland för hundra år sedan?
2 Hur många invånare har landet nu?
3 Var bor de flesta, på landet eller i städer?

Mats beställer tid

17 **a** Du har haft ont i ryggen i två veckor. Du vill träffa en läkare. Vad säger du?

INGER: Vårdcentralen, Inger Gustavsson.

DU: _____

INGER: Jaha, vad gäller det?

DU: _____

INGER: Vad har du för personnummer?

DU: _____

INGER: Kan du komma i morgon klockan 10.00?

DU: _____

INGER: Välkommen då.

DU: _____

b Spela upp dialogen för gruppen.

c Gör dialoger som i **a**. Välj ord ur rutan.

förkyld	feber	ont i magen	ont i huvudet
ont i halsen	snuvig	mår illa	kräks

18 Samtala i gruppen.

1 Har du varit på vårdcentralen?
2 När ska man kontakta vårdcentralen?
3 När ska man kontakta sjukhuset?
4 Vad kostar ett besök på vårdcentralen?

Klara är glad och skrattar

19 Hur känner de sig? Välj bland adjektiven i rutan.

arg	förvånad	glad	ledsen	sur
stressad	trött			

Exempel:

Han är glad.

1  _____

_____

2  _____

_____

3 _____

_____

4 _____

_____

5  _____

_____

6  _____

_____

20 Arbeta i par. Fråga och svara varandra.

1 Vad gör dig arg?

2 Vad gör du när du blir arg?

3 När blir du orolig?

4 Brukar du gråta? När?

5 Vad längtar du efter?

6 Blir du stressad? När?

Känslor

21 Titta på bilderna på sidorna 190 och 191 i läroboken. Samtala i gruppen.

1 Vilka är personerna?
2 Hur känner de sig?
3 Vad har hänt? Varför känner de sig så?
4 Vad ska hända sedan?

22 Välj en bild och skriv om den.

Efter kapitel 9

a Vad kan du? Sätt kryss.

Jag kan

◯ berätta vad jag gjorde i går

◯ beskriva hur någon känner sig

◯ berätta om Sverige för hundra år sedan

◯ beställa tid på vårdcentralen

b Hur har du arbetat? Sätt kryss.

Jag har arbetat

◯ ensam

◯ i par

◯ i grupp

c Om du inte förstår ett ord, vad gör du?

◯ frågar läraren

◯ frågar en kamrat

◯ tittar i ett lexikon

◯ ingenting

På Kafé Stella

1 Skriv alla former av verben.

INFINITIV	IMPERATIV	PRESENS	PRETERITUM	SUPINUM
svara	svara	*svarar*	*svarade*	*svarat*
	låna			
	prata			
	börja			
ringa	ring	*ringer*	*ringde*	*ringt*
	behöv			
	häng			
	glöm			
köpa	köp	*köper*	*köpte*	*köpt*
	tänk			
	åk			
	möt			
bo	bo	*bor*	*bodde*	*bott*
	må			
	sy			

2 **a** Fyll i verb som passar i meningarna. Välj bland verben i rutan.
Skriv rätt form. Titta på sidan 195 i läroboken om du behöver hjälp.

berätta	bo	jobba	låna	läs	köp
ring	stäng	svara	sy	tänk	åk

1 Har du _____ gardinerna själv?

2 Hon ska _____ allt för honom när han kommer hem.

3 Han _____ som lärare.

4 Du måste _____ mjölk. Den är slut.

5 _____ mig nu!

6 Han _____ i Frankrike innan han kom till Sverige.

7 Hon _____ buss till skolan varje dag.

8 Var snäll och _____ dörren.

9 Kan du _____ mig i kväll?

10 _____ du tidningen i går?

11 Jag brukar _____ böcker på biblioteket.

12 Han _____ ofta på henne.

b Skriv egna meningar med verben på sidan 195 i läroboken.

3 **a** Skriv de former som fattas.

IMPERATIV	PRETERITUM	SUPINUM
drick	drack	druckit
_____	hade	_____
_____	gjorde	_____
gå	_____	_____
_____	skrev	_____
var	_____	_____
_____	visste	_____
ät	_____	_____

b Fyll i verben som fattas i dialogen. Välj bland preteritumformerna av verben i **a**.

LENA: I går _____ jag hem från skolan efter lunch.
        1

AGNETA: Det _____ jag inte.
        2

_____ du sjuk?
   3

LENA: Ja, jag var förkyld och _____ ont i huvudet.
        4

AGNETA: Vad _____ du hemma?
     5

LENA: Jag tittade på teve och _____ några mejl.
        6

AGNETA: _____ du mycket? Du vet att man ska
   7

dricka mycket när man är förkyld.

LENA: Ja, men jag _____ ingenting, för jag var
inte hungrig.   8

4 **a** Fyll i verb som passar i meningarna. Välj bland verben i rutan. Skriv rätt form. Titta på sidan 196 i läroboken om du behöver hjälp.

drick	förstå	gör	ha	kom	skriv	säg	var

1 Han har _____ sjuk i en vecka.

2 Ursäkta, vad _____ du? Jag hörde inte.

3 Vill du _____ hem och äta middag hos mig?

4 Hon _____ ont i halsen i förra veckan.

5 _____ du kaffe eller te?

6 Jag _____ inte. Kan du förklara en gång till?

7 Han har _____ ett långt brev till henne.

8 Vad _____ du i går?

b Skriv egna meningar med verb ur listan på s 196 i läroboken.

Slang och vardagsspråk

5 Här är åtta slangord. Vad betyder de? Dra streck.

1	en syrra	en frisör
2	en frissa	luras
3	en bibbla	en skådespelare
4	matte	matematik
5	fejka	ett biblioteket
6	en macka	skor
7	en skådis	en syster
8	dojor	en smörgås

Hanna berättar

6 Vad sa de?

> Jag har varit hos mormor och Bertil.

1 Vad sa Klara? Hon sa att hon _____

_____

> De har köpt en ny soffa.

2 Vad sa Klara? Hon sa att _____

_____

> Jag har glömt att köpa mjölk.

3 Vad sa Emil? Han _____

_____

7 Lisa pratar med Frank

Läs sidan 203 i läroboken. Svara på frågorna.

1 Känner Frank igen Lisa? _____

2 Känner Lisa sig pigg? _____

3 Känner Lisa Per Karlsson? _____

4 Känner Lisa till Per Karlsson? _____

8 Lyssna på resten av dialogen och fyll i det som fattas.

LISA: Ja, jag har _____ honom ibland.
                                     1

Men jag hör att _____ svensk.
                                     2

Är _____ Danmark?
                   3

FRANK: Nej, _____. Från Hamburg.
                         4

LISA: Jag kommer _____ härifrån.
                                5

_____ i Malmö.
                         6

FRANK: Det hörs inte.

LISA: Nej, en skådespelare _____
                                       7

dialekt. Och _____
                                8

i Stockholm i tio år nu. Men _____
                                       9

hem till Malmö pratar jag skånska igen. Hur _____

_____ här i Sverige?
                                10

FRANK: I fem år. Jag _____
                                11

som jobbade i Hamburg och så _____
                                12

_____ henne hem till Sverige. Först _____
                                13

_____ i Göteborg. Sedan flyttade vi hit.

Min flickvän _____ här.
                                14

LISA: Har _____ kiosken länge?
                                15

FRANK: Jag _____ när vi flyttade hit,
                                16

för tre år sedan. I Göteborg jobbade jag på restaurang.

LISA: Du _____.
17

FRANK: Tycker du? Jag gick på kurs i Göteborg, men lärde

mig _____ på kursen. Det
18

_____ när jag började jobba.
19

Då tränade jag svenska hela dagarna.

LISA: Svenska är väl _____
20

om man har tyska som modersmål?

FRANK: Nej, men _____
21

läsa spanska för vi brukar åka på semester till Spanien.

Jag började en kurs _____
22

_____. Spanska är mycket svårare än svenska.

LISA: Ja, jag _____ lära mig
23

spanska. Det gick inte så bra.

FRANK: När kommer du på teve då?

LISA: I höst. I början av _____.
24

Men nu _____.
25

Det var trevligt att prata. Hej då! _____
26

_____ med spanskan!

FRANK: Hej då! Välkommen åter! Och _____!
27

LISA: Tack detsamma!

9 Arbeta i par. Fråga och svara varandra.

Exempel:
– När kom Frank till Sverige?
– För fem år sedan.

– Hur länge har han varit i Sverige?
– I fem år.

1 När kom du till Sverige?
2 Hur länge har du varit i Sverige?
3 När började du skolan i Sverige?
4 Hur länge har du studerat svenska?
5 När började du skolan i ditt land?
6 Hur länge gick du i skolan i ditt land?

10 **a** Para ihop meningarna till korta dialoger. Dra streck.

1 Hur känner du dig?

a Ja, han heter Jocke.

2 Känner du Jocke Palmgren?

b Ja, det är Lisa Sylvén. Hon är skådespelare.

3 Känner du till Lisa Sylvén?

c Jo tack, bra.

4 Känner du igen kvinnan som sitter där?

d Ja, hon är en duktig skådis, tycker jag.

5 Kan du engelska?

e Ja, han bor i samma hus som jag.

6 Vet du vad han heter?

f Ja, det kan jag.

b Arbeta i par. Läs dialogerna.

Hassan friar till Linda

11 Läs sidan 203 i läroboken. Samtala i gruppen.

1 Hur gammal är Viktor nu?
2 Varför var Hassans föräldrar oroliga då han var tonåring?
3 Hur gammal är en tonåring?
4 Hassan friar till Linda. Vad betyder det?
5 Varför ska Hassan och Linda köpa ringar?
6 Varför ska Linda ringa till sin mamma?
7 Var tror du att Hassans föräldrar bor?

12 Fyll i verb som passar i meningarna. Välj verb ur rutan.

bestämma	boka	dröjer	fria	förlovade
koncentrera	krypa	ångrar		

1 Han älskar henne och tänker _____ till henne.

2 Han kan inte gå än, men han kan _____.

3 Du kan vänta här. Jag är inte klar. Det _____ en stund.

4 De _____ sig förra året och nu ska de gifta sig.

5 Vilken kjol ska jag välja? Jag kan inte _____ mig.

6 Jag vill inte ha den här kjolen. Jag _____ mig.

7 Vi måste _____ tågbiljetter.

8 Sluta prata. Jag kan inte _____ mig.

13 **a** På familjesidorna i en tidning kan du läsa om barn som har fötts, par som har förlovat sig eller gift sig och människor som har dött.
Läs familjeannonserna här.

FÖDDA
Det blev en pojke! Välkommen vår älskade lille VIKTOR **Linda Nilsson** och **Hassan Scali** Västra sjukhusets KK 27/12
Nu har lilla Molly kommit, Oskars lillasyster **Lena** och **Måns Persson** Västra sjukhusets KK 4/1
Välkommen vår SON, Sagas lillebror **Maja Knutsson** och **Tommy Törnberg** Västra sjukhusets KK 29/12

KK = kvinnoklinik, BB

FÖRLOVNING
Maria Dolk **Johan Andersson** Paris 27/12
Av kärlek **Susanne Franzén** **Olle Grahn** Stockholm 31/12

VIGSEL
Vi gifter oss i Ryds kyrka den 23 januari **Fredrik Berg** **Anna Dahl**
Vigsel har ägt rum i Villa Högdal, Motala den 6/1 mellan **Roger Söderberg** och **Karina Boström**

b Arbeta i par. Fråga och svara.

1 När föddes Molly?
2 Var gifter sig Fredrik och Anna?
3 Var förlovade sig Maria och Johan?
4 Vilka gifte sig i Motala?
5 Vad heter Sagas mamma och pappa?
6 Vad gjorde Susanne och Olle på nyårsafton?

Bröllop

14 a Skriv på ditt språk.

en brud	fria
en brudgum	förlovad
en brudnäbb	en gäst
ett brudpar	kissa
ett bröllop	kyssa
en bröllopsresa	en kyrka
dra i armen	en präst

b Berätta vad du ser på bilderna på sidan 209 i läroboken.

15 Samtala om bröllop i era hemländer. Här får ni frågor till hjälp:

När gifter man sig?

Har brudparet varit förlovade en tid? Hur länge?

Hur friar en man till en kvinna?

Kan en kvinna fria till en man?

Kan föräldrar och släktingar säga nej till ett bröllop?

Var gifter man sig?

Var har man bröllopsfesten?

Vem betalar för festen?

Vad gör man på festen?

Vad äter man?

Vilka är bjudna?

Ger gästerna presenter?

Får brudgummen se bruden före bröllopet?

Hur länge håller ett bröllop på?

Byter brudparet ringar? Vem får ring?

Reser brudparet på bröllopsresa efter bröllopet?

Efter kapitel 10

a Vad kan du? Sätt kryss.

Jag kan

☐ förstå några slangord

b Vad var roligt och jobbigt i kapitel 10?

Roligt i läroboken: _____

Roligt i övningsboken: _____

Jobbigt i läroboken: _____

Jobbigt i övningsboken: _____

c Nu är du klar med hela Mål 1. Vad tyckte du?

1 Vad var roligt att arbeta med i läroboken?

_____

2 Vad var roligt att arbeta med i övningsboken?

_____

3 Vad var svårast?

_____

4 Vad behöver du öva mera på?

_____

Till läraren

I *Mål 1 Lärobok* följer vi familjen Åberg och några andra på Granvägen 4. Här i övningsboken möter vi också familjen Johansson som bor på Granvägen 5. Flickan i den familjen heter Hanna och är klasskamrat med Emil Åberg.

I *Mål 1 Övningsbok* kan eleverna öva vidare på läsförståelse, ordförråd och grammatik. Det finns också skrivuppgifter och talövningar. Eleverna arbetar enskilt, i par och i grupp. Enskilda övningar kan de med fördel göra hemma.

Övningarna i övningsboken har olika svårighetsgrad för att passa elever med olika behov och förmåga. Det är alltså inte meningen att alla elever ska göra allt. I övningarna förekommer också ord som inte har tagits upp i läroboken. Eleverna måste själva slå upp ord de inte förstår.

Grammatikövningarna tar upp samma grammatikmoment som läroboken. Ibland erbjuder övningsboken en långsammare och grundligare genomgång, ibland går övningen här ett steg längre än läroboken.

Läsförståelseövningarna bygger dels på texter i läroboken, dels på nya texter som förs in här i övningsboken. Det är t ex kvitton, tidtabeller och annonser.

Innan eleverna tar itu med *ordövningarna* nöter de in de nya orden ur lärobokens text, t ex med hjälp av egna ordlistor med översättning till modersmålet eller med små lappar där ordet skrivs på svenska på den ena sidan och på modersmålet på den andra. Det finns ordövningar där meningen är att eleverna ska utvidga det ordförråd som läroboken ger. Exempel detta är övning 28 på s 96. Ansiktets delar tas inte upp i läroboken utan bara här i övningsboken. Eleverna måste själva slå upp orden.

En annan ordövningstyp är den där eleverna först får en lista med ord att slå upp och därefter använda sig av i övningen. Ett exempel på en sådan ordövning hittar du på s 48–49 (övning 25).

När eleverna är klara med de bundna ordövningarna här i övningsboken kan du låta dem skriva egna meningar med de nya orden.

Samtalen utgår från texter och bilder i läroboken. Eleverna samtalar i storgrupp med dig som gruppledare eller i mindre grupp med en elev som gruppledare.

I några samtalsövningar uppmanas eleverna att söka informationen utanför gruppen. Låt eleverna själva fundera över var de kan hämta informationen. Uppmuntra dem att beställa tid för intervju och att förbereda sig genom att skriva frågor. Den nya kunskapen förmedlar eleverna sedan till resten av gruppen.

Det finns också några kombinerade skriv- och talövningar. Tanken är att eleverna först formulerar sig i skrift så att de känner sig väl förberedda när de ska yttra sig i klassrummet.

Dialogerna arbetar eleverna med parvis. Först skriver de, sedan läser/spelar de upp det de skrivit för resten av gruppen.

Till uppgifter som kan lösas direkt i boken finns i regel svar i facit för att eleverna ska kunna arbeta på egen hand. Om du i stället vill gå igenom svaren gemensamt med eleverna kan du klippa loss facit.

Alla fria uppgifter skriver eleverna i en separat skrivbok eller på lösa blad, så att du kan rätta det de skrivit medan de arbetar vidare i övningsboken. Varje elevs alster kan sedan sparas i en egen mapp eller pärm (portfolio).

Mycket nöje med övningsboken!
Anette Althén

Kapitel 1

Hej!

1 1 Hej! 2 Bra, tack. 3 Hej då! 4 Varsågod!
   Hej!   Hej då!   Tack!

Alfabetet

2 D G K N R T V Y Å Ö

3 **a** (g h) m n   å ä
       d e   r s   e f
       k l   t u   l m

   b (b c) h i   b c
       o p   p q   c d
       i j   j k   u v

4 Ellen
   Hassan
   Jocke
   Klara
   Linda

5 **a** ABCDEFGHIJKLMNOPQRSTUVWXYZÅÄÖ
   b abcdefghijklmnopqrstuvwxyzåäö

6 **a** A E I O U Y Å Ä Ö
   b 9   **c** a e i o u y å ä ö

7 **a** 1 y   2 g   3 l   4 a

I skolan

13 (5 ett suddgummi)   6 ett bord
   7 en penna   3 en stol
   1 en linjal   8 ett block
   2 ett papper   4 en pärm
   9 en bok

14 penna   papper
   lärare   linjal
   elev   klocka
   tavla   väska
   Det finns andra ord också, till exempel ark, en, sy.

Jag heter Jonas

15 Jag heter Anna. Jag är gift med Peter. Vi har två barn,
   Hanna och Martin. Vi heter Johansson i efternamn.

Räkna till 20

17 **b** 17 sjutton   5 fem   2 två
       4 fyra   3 tre

Vad gör de?

19 1 Anna skriver.   4 Hanna går hem.
   2 Martin tittar på teve. 5 Peter cyklar hem.
   3 Hon dricker kaffe.   6 Han lagar mat.

20 (heter)   har   lagar
   cyklar   kommer   talar
   dricker   kör   är
   gör

21 **a** 1 Hon skriver brev.
       2 Han tittar på teve.
       3 Hon lagar mat.
       4 De äter frukost.
       5 Han kör bil.
       6 Han läser tidningen.
       7 De går hem.
       8 Hon talar i telefon.
       9 Hon dricker kaffe.
      10 De cyklar.

En och ett

22 1 man   3 pojke   5 flicknamn
   2 kvinna   4 flicka   6 efternamn

Namn

24 1 Maria   2 Erik   3 Johansson

Möten

28 1 heter   5 kommer
   2 du   6 kommer
   3 heter   7 talar
   4 kommer   8 talar

Kapitel 2

Söndag

2 1 Hon lyssnar inte på musik.
   2 Martin skriver inte brev.
   3 Hon har inte barn.
   4 Jag är inte gift.
   5 Det regnar inte.
   6 Han äter inte frukost.
   7 De cyklar inte.
   8 Han kör inte bil.

3 Det är lördag. Hanna skriver ett brev till
   farfar. Martin sover. Mamma är inte hemma.
   Hon är hos Lisa. Pappa tittar på teve.

4 Sara och David kommer från Irak. De har bott i Sverige
   i fem år. De bor i Stockholm nu. Saras pappa och
   mamma bor i Bagdad.

Vad är det för dag i dag?

6 1 fredag   4 torsdag   6 söndag
   2 måndag   5 lördag   7 onsdag
   3 tisdag

Räkna mera

7 **a** 1 sexton   2 sjuttio   3 tretton

   b 1 (80), 60, 40, 30, 16
       2 70, 19, 17, 14, 18
       3 50, 90, 13, 80, 40

8 (22), 42, 33
   13, 53, 25
   14, 15, 60
   18, 78, 30

9 **b** (33 trettiotre)   5 fem
       12 tolv   3 tre
       45 fyrtiofem   2 två
       10 tio   82 åttiotvå
       153 etthundrafemtiotre 83 åttiotre
       74 sjuttiofyra   4 fyra
       77 sjuttiosju

Vad är klockan?

11 1 kvart i tolv   5 kvart i tre
   2 fem i fem   6 halv elva
   3 tio   7 tjugo över åtta
   4 tio i nio   8 fem över halv två

12 1 fyra   4 kvart i sju
   2 halv fem   5 halv sex
   3 kvart över sju   6 åtta

Den, det och de

13 1 Den   3 Den   5 De
   2 Det   4 Den   6 Den

⑭ a 1 Den 3 Hon 5 Det
2 Han 4 De 6 De

⑮ (penna) bok teve
år flicka frukost
block bil

Vad har de?

⑯ fotbollen brevet
namnet eleven
telefonen lektionen
pennan lexikonet

Från andra länder

⑰ landet – det Martin och Hanna – de
flickan – hon pennan - den
boken – den Hanna – hon
bordet – det brevet – det
Martin – han boken och pennan – de

Sverige

⑲ b 1 östra 2 västra 3 norra 4 södra

⑳ b 1 norr 2 väster 3 söder 4 öster

På biblioteket

㉒ Efternamn: Johansson
Förnamn: Anna
Gatuadress: Granvägen 5
Postadress: 567 10 Småstad
Telefonnummer: 0111-23 87 15
Mobil: 071-1234567
E-postadress: anna@minmejl.se
Personnummer: 671116-3242

㉓ Jag heter Maria Eriksson. Jag bor på Storgatan 67
i en stad som heter Småstad. Jag hyr i andra hand
av en kompis. Hon heter Eva Lind.
Min e-postadress är maria@minmejl.se.
Jag är född den 26 augusti år 1987.

Kläder och färger

㉔ 1 ett par byxor 8 en jacka
2 en skjorta 9 en tröja
3 en slips 10 ett linne
4 en kavaj 11 en halsduk
5 ett par handskar 12 ett par skor
6 en mössa 13 ett par strumpor
7 ett skärp 14 en kjol

㉕ a (mössa) **b** (en mössa – mössan)
blus en blus – blusen
jacka en jacka – jackan
kjol en kjol – kjolen
skärp ett skärp – skärpet
skjorta en skjorta – skjortan

㉖ a Jonas har en grå jacka och en vit skjorta på sig.
Han har ett par blå byxor och svarta skor.

Kapitel 3

Alla bor i samma hus

❷ 1 Dricker han kaffe? 4 Heter hunden Hugo?
2 Är Peter barn? 5 Har de barn?
3 Lagar hon mat? 6 Kör Anna bil?

❸ 1 Han bor i Sverige. 4 Har du barn?
2 Kommer du från Sverige? 5 Cyklar du till skolan?
3 Jag är inte gift. 6 Är du gift?

❹ a 1 (bor) 6 samma
2 arbetar 7 dagis
3 gift 8 målare
4 barn 9 heter
5 går

❻ b (1 delar ut post) 5 lagar mat
2 lagar tänder 6 kör buss
3 sköter om sjuka 7 sitter i kassan
människor i en affär
4 serverar mat 8 bygger hus

Årstider och månader

❾ a 1 januari 4 mars
2 november 5 oktober
3 maj 6 juli

När går tåget?

❿ (1 08.50) 5 19.05
2 15.40 6 21.05
3 06.45 7 15.15
4 18.10 8 18.50

⓫ 1 11.30, 23.30 4 13.50, 01.50
2 07.10, 19.10 5 14.30, 02.30
3 12.45, 00.45 6 06.05, 18.05

Sara och Malin

⓬ b 1 Klockan tio över åtta (8.10).
2 Alla vardagar (måndag–fredag).
3 Kvart i fyra (15.45).
4 Nio (9.00) eller halv tio (9.30).

c (Måndag 8.10–15.45)
Tisdag 8.10–15.45
Onsdag 8.40–15.45
Torsdag 8.40–15.45
Fredag 8.10–13.30

⓮ 1 öppnar klockan halv tio och stänger fem
2 öppnar klockan elva och stänger fyra
3 öppnar klockan tio och stänger sex
4 öppnar klockan tio och stänger ett

Klara träffar Jocke

⓰ 1 Tre. 3 Sjutton år. 5 Simba.
2 Fem år 4 Åberg. 6 Gitarr.

⓲ 1 Hon 4 de 7 jag
2 han 5 vi, de, Han 8 vi
3 den 6 Det

Möbler

⓳ (ett skåp) en stol en soffa
en säng en fåtölj ett bord

Jockes lägenhet

⓴ a Jockes lägenhet har två rum och kök.
Han har ett bord och fyra stolar i köket.
På bordet ligger några äpplen.
I vardagsrummet har han en soffa, två fåtöljer och ett
soffbord.
I Jockes sovrum finns det tre sängar och två
garderober.

b (1 ett rum) 4 en fåtölj
2 en stol 5 en säng
3 ett äpple 6 en garderob

Hemma

㉔ en hall 1 ett sovrum 3
ett kök 5 ett badrum 2
ett vardagsrum 4

㉕ b 1 F 4 F 7 F
2 R 5 R 8 F
3 R 6 R

Kapitel 4

Vad gör de i dag?

❶ 1 dagbok 5 Sedan 9 lunch
2 frisör 6 middag 10 ledig
3 förmiddagen 7 hem 11 hela
4 vaknar 8 vägen 12 natten

❷
1. Klockan fem.
2. Till skolan.
3. Med tåg.
4. I Stockholm.
5. Mamma.
6. Eva och Anton.
7. Jag lagar mat.
8. Jag är trött.

Ellens dag
❹
1. När börjar du skolan?
2. När kommer han hem?
3. Vad gör Anna klockan tre?
4. Var bor Anna och Peter?

❺ c
1. stiger
2. gör
3. tar
4. väcker
5. kör han till banken
6. kör han
7. börjar han
8. slutar han

Emil kommer för sent
❼ a
1. knackar
2. förlåt
3. gillar
4. snygg
5. sent
6. ursäkta
7. honom
8. stänger
9. ofta

b 10. klassrummet

❽ a
1. Jag har ont i huvudet.
2. Min dotter är sjuk.
3. Min cykel är sönder.
4. Min buss kom inte.
5. Jag hittade inte min väska först.

❿
1. honom
2. mig
3. henne
4. henne
5. dig

⓫
1. Han ringer till mig.
2. Anna pratar med honom.
3. Vi frågar henne.
4. Han tittar på dig.
5. Jag väntar på dig.

Jocke arbetar mycket
⓭ a
1. mycket
2. många
3. mycket
4. mycket
5. många
6. mycket

På gatan
⓮ a Apoteket: 7
Banken: 8
c Posten: 16
Bion: 17

När är du född?
⓰
1. 6/7
2. 20/4
3. 19/10
4. 27/7
5. 17/12
6. 31/8
7. 14/2
8. 4/3
9. 13/5
10. 18/6

⓱ 2. 1/1   3. 31/12

⓳ c
10. Åberg
9. Palmgren
8. Lindström
7. Scali och Nilsson
6. Mahmoud
5. –
4. Persson
3. Sylvén
2. Fors
1. Olsson
BV: Svensson

d Våning 5 är tom.

Måltider
㉒ b
1. en kniv
2. en sked
3. en gaffel
4. ett glas
5. en tallrik
6. en mugg
7. en servett
8. en flaska
9. en tillbringare
10. en tekanna
11. en bricka
12. en skål

Kapitel 5

En dag i Lisas liv
❶ a
1. Kvart över sex på morgonen kommer Jocke hem från jobbet. Han är trött.
2. Han sover hela förmiddagen.
3. Klockan ett äter han lunch hemma i köket.
4. Efter lunch ringer han till en kompis.
5. På eftermiddagen går han till frisören.
6. På kvällen går han ut och dricker öl.

❹
1. Klockan sju vaknar Hassan.
2. Han är trött.
3. Först duschar han.
4. Sedan äter han frukost.
5. Kursen börjar klockan halv nio.
6. Klockan tolv äter han lunch.
7. Klockan kvart över två ringer han till Linda.
8. Hon svarar inte.
9. Klockan sju slutar kursen.
10. Då åker han hem.

Varför?
❻ (arg)
glad
hungrig
ledsen
liten
snygg
sömnig
trött
törstig

Jonas åker taxi
❼
1. gift
2. arbetskamrat
3. fest
4. gården
5. äter
6. Ta
7. gärna
8. ingenting
9. stor
10. God natt
11. sover

❽
1. Han är på fest.
2. Han åker taxi.
3. På gården.
4. På lördag.
5. De ska fiska.
6. Ingenting.

❾
1. Ja, det har han.
2. Ja, det är han.
3. Ja, det gör han.
4. Ja, det är hon.
5. Nej, det gör han inte.
6. Nej, det är han inte.
7. Ja, det har han.
8. Nej, det gör han inte.
9. Ja, det gör han.
10. Nej, det är han inte.

❿
1. Ja, det är hon.
2. Ja, det har hon.
3. Nej, det gör hon inte.
4. Nej, det är hon inte.
5. Ja, det gör han.

Sverige, en monarki
⓬
1. Carl XVI Gustaf
2. Silvia
3. Tre
4. Victoria
5. Carl Philip
6. Det är ett land som har en kung eller en drottning som statschef.

Inga problem
⓭
1. en person som bor bredvid dig
2. gå tillsammans med någon
3. titta
4. göra fint, ta bort smuts
5. en person som kör taxi
6. inte hemma
7. köpa
8. pappas pappa

⓰
1. Jag förstår honom.
2. Hon följer med mig.
3. Jag talar med dem.
4. Han frågar oss.
5. De skriver till henne.

⓱
1. Han har en jacka som är ny.
2. Jag pratar med en kompis som heter Karl.
3. Vi har en granne som kommer från England.
4. Sverige är ett land som ligger i Europa.

Familj och släkt
⓳ b
1. Ulla
2. Maria
3. Ellen
4. Emil
5. Klara

⓴ a
1. Allan
2. son
3. Mikael
4. Peter
5. dotter
6. barnbarn
7. syster
8. Mattias
9. Hanna
10. farbror
11. farfar
12. Gun

b 1 Gösta.
2 Två.
3 Britta

4 Ett.
5 Mikael.

d 1 Sofie
2 Gösta

Annika ringer till Lina

㉑ b
1 Johansson.
2 Hej, det är Peter.

3 Är Hanna hemma?
4 Hej då.

Kapitel 6

Vad vill de?

❶ 1 Ja, det gör han.
2 Ja, det gör han.
3 Ja, det har han.
4 Ja, det gör han.

5 Nej, det gör han inte.
6 Nej, det gör hon inte.
7 Ja, det är han.

❷ 1 höst
2 svår

3 varannan
4 känd

5 ledig
6 älskar

❹ älska
skriva
bli
behöva
studera

läsa
kunna
vilja
komma
leva

❺ 1 slutar
2 tjäna
3 börja
4 är

5 läsa
6 göra
7 skriver

8 jobbar
9 sitta
10 har

❼ 1 kan inte komma.
2 ska inte åka.
3 behöver inte städa.
4 får inte cykla på vägen.
5 vill inte äta.

Emil vill ta körkort

❾ 1 Han cyklar.
2 Nej.
3 16 år.
4 Det är dyrt att ta lektioner på bilskolan.
5 15 år.
6 Han drömmer om en motorcykel. Han drömmer om Hanna också.
7 Han vill ha en motorcykel.

⓫ a 1 körkort
2 vägmärke
3 ung

4 fin
5 bilskola
6 bakom

7 drömmer
8 dyrt
9 spara

b 10 övningsköra

c Man övar på att köra bil.

⓭ 1 I morgon ska jag inte arbeta.
2 Nu vill hon inte vara ensam.
3 På lördag vill jag inte träffa dig.
4 Nu kan de inte svara i telefon.
5 I kväll får du inte titta på teve.

Vad får du göra?

⓯ 15 år: Du får köra moped.
16 år: Du får övningsköra.
18 år: Du blir myndig. Du får gifta dig. Du får ta körkort.
20 år: Du får handla på Systemet.

⓲ 1 Det är förbjudet att parkera
2 Du får inte köra över sjuttio kilometer i timmen.
3 Här ska man cykla.
4 Här ska man gå.
5 Du får inte svänga till vänster.
6 Man måste köra till vänster.
7 Du får parkera här.
8 Man får inte köra över 50 km/h.
9 Du får inte cykla här.

Hos barnmorskan

⓳ 1 väger
2 mycket
3 försiktig
4 normalt
5 kilo

6 hjärta
7 undersöker
8 orkar
9 barnmorska
10 slår

㉒ 1 Ska vi gå på bio?
2 Får jag låna boken?
3 Kan du cykla?

4 Vill du sluta skriva nu?
5 Måste du åka hem nu?
6 Brukar ni läsa tidningen?

㉔ 1 Får jag ...
2 Måste vi ...

3 Vill ni ...
4 Får man ...

5 Kan du ...

㉕ 1 Var vill du sitta?
2 Vart ska ni åka?
3 Vad behöver vi handla?
4 Varför måste jag läsa?
5 Vad brukar de äta till frukost?
6 När ska han börja skolan?
7 Varför vill du sluta nu?
8 Hur ska de komma hit?

㉗ 1 Jag har ont i huvudet.
2 Jag har ont i ryggen.
3 Jag har ont i magen.
4 Jag har ont i foten.

5 Jag har ont i benet.
6 Jag har ont i axeln.
7 Jag har ont i tummen.
8 Jag har ont i nacken.

㉘ 1 en panna
2 ett öra
3 en kind
4 en mun

5 en läpp
6 en haka
7 ett ögonbryn
8 ett öga

9 en näsa
10 en näsborre
11 en tunga
12 en tand

På väg

㉜ 1 110
2 06.30 (halv sju)
3 07.57

4 08.30 (halv nio)
5 07.17
6 07.42

7 07.30 (halv åtta)
8 08.42

Kapitel 7

Lisa går och handlar

❶ (mjölk)
tomater
gurka

röd paprika
sallatshuvud
kyckling

a, b

❸ Frukt, grönsaker:
tomater
gurka
röd paprika
sallatshuvud
potatis
melon

Mejerivaror, ost, ägg:
mjölk
grädde

Kött:
kyckling
korv
skinka

Öl och vatten:
Coca-Cola
mineralvatten
läsk
lättöl

Mjöl, gryn:
salt
ris
vetemjöl

❹ 1 I två veckor.
2 En kilometer.
3 Klockan tre.

4 Varje dag.
5 Den är fem år.

Med eller utan?

❻ a 1 d
2 b
3 g

4 e
5 a

6 c
7 f

Frukt och grönsaker

❽ a Fisk och skaldjur:
kräftor, lax, räkor, sill
Bröd:
bulle, kex, knäcke-bröd, limpa
Kött:
biff, korv, köttfärs, skinka

Grönsaker:
lök, paprika, sallat, tomat
Frukt:
ananas, (banan), citron, vindruvor

Emil och Klara bråkar

❾ 1 kvar
2 väl
3 egentligen
4 absolut

⑩ b

1	spelar	4	spela
2	leker	5	leker
3	spelar		

Karin tycker inte om Jocke

⑬

1	R	3	F	5	R	7	F
2	F	4	R	6	R		

På kafé

⑯

1	g	5	c	8	b
2	d	6	f	9	j
3	h	7	a	10	e
4	i				

Jonas arbetar

⑱
1 Stella äger ett kafé.
2 Jonas ska renovera kaféet.
3 Stella ska köpa nya bord och stolar.
4 Stella ska ha röda stolar.
5 Jonas ska komma tillbaka till kaféet i morgon.

⑲
1 Hon vill ha gula väggar.
2 Hon vill ha ett svart tak.
3 Stella måste ha ett nytt golv.
4 Hon har ett rött skåp.
5 Hon ska ha röda, gröna, gula och blåa lampor.
6 Hon ska köpa runda, svarta bord och röda stolar.

I mataffären

⑳
1 Hur mycket en vara kostar per kilo eller liter.
2 Vad en vara innehåller.
3 Bröd.
4 Ett datum som talar om hur länge varan är fräsch.
5 **a** År 2008, **b** juni, **c** den tredje

㉒

1	Matmax	5	34,24 kr
2	2006-08-10 kl 15.35	6	6
3	2 paket	7	162,70 kr
4	16,90 kr/kg		

Jocke ska börja ett nytt liv

㉕

1	gym	3	kurs	5	planera
2	tränar	4	själv	6	hyra

Kapitel 8

Ett meddelande till Emil

❶ a

1	en frys	4	en lista
2	en tvättmaskin	5	ett meddelande
3	en mikro		

❷

1	Jobba	3	Gör	5	Stäng
2	Ha	4	Lyssna	6	Stanna

❸ (1 Sortera tvätten som ligger i tvättkorgen.)
2 Öppna luckan till maskinen.
3 Lägg i kläderna.
4 Stäng luckan.
5 Mät upp tvättmedel.
6 Häll tvättmedlet i fack två.
7 Vrid till 60 grader.
8 Sätt på maskinen.
9 Ta ur tvätten ur maskinen.
10 Häng tvätten i badrummet.

❹

går	åker
är	skrattar
ringer	bor
studerar	frågar

❺
1 Stanna här!
2 Sväng inte till vänster!
3 Kör inte om!
4 Kör inte över 70km/h (kilometer i timmen)!
5 Stanna inte här!
6 Parkera inte här!

❻ a

1	d	4	a
2	b	5	e
3	c		

Emil har lagat middag

❽

1	klar	4	värma	7	jättesnygg
2	redan	5	väldigt	8	dukat
3	sätter	6	gjort		

❾ a Förslag:

1	träffat/mött/sett	5	öppnat/stängt
2	hängt	6	åkt/rest/flyttat
3	varit/bott	7	köpt/skaffat/fått
4	sett/träffat/ringt	8	gjort/ätit

Tjejsnack

⑩
1 Arvid vill att Hanna ska komma.
2 Han är intresserad av henne.
3 Därför att Emil inte ska dit.
4 Hon fyller år.
5 Hon gillar honom.
6 Han ganska smal och inte så lång. Han har mörkt hår och bruna ögon.
7 Han jättetrevlig och schysst. Han är lite blyg.

Skolan i Sverige

⑭

1	Sex eller sju år.	4	Målare, elektriker, frisör.
2	I nio år.	5	Ingenting.
3	I tre år.		

I skolan

⑰ a

1	läsår	5	skolavslutning
2	utvecklingssamtal	6	kurator
3	skolsköterska	7	betyg
4	skolstart		

Kapitel 9

Hassan är nervös

❶
1 Det är vinter.
2 Linda ska föda.
3 Hon hade värkar. Hassan måste skynda sig hem.
4 Hon vill inte ha flera skulder.
5 Han satte sig i soffan och tittade på teve.
6 Maja eller Viktor.

❸

1	sedan	4	fortfarande	7	i morse
2	studiemedel	5	skuld	8	I förrgår
3	förklara	6	skynda	9	färdig

❺ b Datum: 26 juni
Namn: Jocke Palmgren
Gata, nr ...: Granvägen 4
Postnummer och postort: 567 10 Småstad
Telefon: 0111–11 12 13
Gamla postadressen: Solvägen 2
567 89 Småstad
Hälsningar: Jocke

❻ a

(pratade)	(ringde)	(åkte)	(mådde)
kramade	stängde	köpte	trodde
cyklade	hängde	kysste	bodde
skrattade	följde	försökte	
öppnade	glömde	läste	
förklarade	drömde	hjälpte	
	fyllde	mötte	

b blev
hade
gick
gjorde
sa
sov
var

c Förslag:

1	mådde	5	trodde/sa
2	pratade/följde/åkte	6	köpte
3	öppnade/stängde	7	Cyklade/Åkte/Gick
4	kramade/kysste	8	gjorde/köpte/läste

Det blev en pojke!

8
1 I fredags.
2 I går.
3 I slutet av veckan.
4 Hon behöver vila.
5 Viktor.
6 Ja, en pojke.
7 Två.
8 Då bor långt ifrån henne.
9 Han dog i en bilolycka.

9
1 träffade	6 väntade	11 har varit
2 har ringt	7 har läst	12 har tittat
3 gjorde	8 trodde	13 tog
4 var	9 gjorde	
5 har arbetat	10 åkte	

Klara ramlar

10
1 F	5 R	8 F
2 R	6 F	9 R
3 F	7 R	10 F
4 F		

För hundra år sedan

14
1 5 miljoner
2 Ungefär 9 miljoner
3 I städer
4 1 miljon
5 De ville börja ett nytt liv där.

15
1 F	3 R	5 R
2 F	4 F	

Klara är glad och skrattar

19
1 Hon är förvånad.
2 Han är arg.
3 Hon är ledsen.
4 Han är trött.
5 Hon är sur.
6 Han är stressad.

Kapitel 10

På Kafé Stella

1
(svara	svara	svarar	svarade	svarat)
låna	låna	lånar	lånade	lånat
prata	prata	pratar	pratade	pratat
börja	börja	börjar	började	börjat
(ringa	ring	ringer	ringde	ringt)
behöva	behöv	behöver	behövde	behövt
hänga	häng	hänger	hängde	hängt
glömma	glöm	glömmer	glömde	glömt
(köpa	köp	köper	köpte	köpt)
tänka	tänk	tänker	tänkte	tänkt
åka	åk	åker	åkte	åkt
möta	möt	möter	mötte	mött
(bo	bo	bor	bodde	bott)
må	må	mår	mådde	mått
sy	sy	syr	sydde	sytt

2 a
1 sytt
2 berätta
3 jobbar
4 köpa
5 Svara
6 bodde
7 åker
8 stäng
9 ringa
10 Läste/Köpte
11 låna
12 tänker

3 a
(drick	drack	druckit)
ha	(hade)	haft
gör	(gjorde)	gjort
(gå)	gick	gått
skriv	(skrev)	skrivit
(var)	var	varit
vet	(visste)	vetat
(ät)	åt	ätit

b
1 gick
2 visste
3 var
4 hade
5 gjorde
6 skrev
7 drack
8 åt

4 a
1 varit	4 hade	7 skrivit
2 sa	5 Dricker	8 gjorde
3 komma	6 förstår	

Slang och vardagsspråk

5
1 en syster
2 en frisör
3 ett bibliotek
4 matematik
5 luras
6 en smörgås
7 en skådespelare
8 skor

Hanna berättar

6
1 Hon sa att hon hade varit hos mormor och Bertil.
2 Hon sa att de hade köpt en ny soffa.
3 Han sa att han hade glömt att köpa mjölk.

Lisa pratar med Frank

7
1 Ja
2 Nej
3 Nej
4 Ja

8
1 också sett
2 du inte är
3 du från
4 jag är tysk
5 inte heller
6 Jag är född
7 får inte tala
8 jag har ju bott
9 när jag åker
10 länge har du bott
11 träffade en svensk tjej
12 följde jag med
13 bodde vi två år
14 fick jobb
15 du haft
16 köpte den
17 talar väldigt bra svenska
18 inte så mycket
19 gick bättre
20 inte så svårt
21 nu har jag börjat
22 för tre månader sedan
23 har också försökt
24 september
25 måste jag gå
26 Lycka till
27 trevlig helg

10
1 c		4 b
2 e		5 f
3 d		6 a

Hassan friar till Linda

12
1 fria
2 krypa
3 dröjer
4 förlovade
5 bestämma
6 ångrar
7 boka
8 koncentrera